AGATHA CHRISTIE

ASSASSINATO NO BECO

Um caso de Hercule Poirot

Tradução
José Inácio Werneck

Rio de Janeiro, 2024

Copyright © 1937. Todos os direitos reservados.
Copyright da tradução © 2003 por Casa dos Livros Editora LTDA.
Título original: *Murder in the Mews*

AGATHA CHRISTIE, POIROT and the AC Monogram Logo are registered trademarks of Agatha Christie Limited in the UK and elsewhere.

Todos os direitos desta publicação são reservados à Casa dos Livros Editora LTDA. Nenhuma parte desta obra pode ser apropriada e estocada em sistema de banco de dados ou processo similar, em qualquer forma ou meio, seja eletrônico, de fotocópia, gravação etc., sem a permissão dos detentores do copyright.

REVISÃO	*Anna Beatriz Seilhe*
DESIGN DE CAPA	*Felipe Rosa*
PROJETO GRÁFICO E DIAGRAMAÇÃO	*Abreu's System*

Dados Internacionais de Catalogação na Publicação (CIP)
(Câmara Brasileira do Livro, SP, Brasil)

Christie, Agatha, 1890-1976
　　Assassinato no beco / Agatha Christie; tradução José Inácio Werneck. – 1. ed. – Duque de Caxias, RJ: HarperCollins, 2021.

　　Título original: Murder in the Mews
　　ISBN 978-65-5511-146-0

　　1. Ficção de suspense 2. Ficção inglesa I. Título.

21-60729　　　　　　　　　　　　　　　　　　CDD-823

HarperCollins Brasil é uma marca licenciada à Casa dos Livros Editora Ltda.
Todos os direitos reservados à Casa dos Livros Editora LTDA.

Rua da Quitanda, 86, sala 601A - Centro,
Rio de Janeiro/RJ - CEP 20091-005
Tel.: (21) 3175-1030
www.harpercollins.com.br

Printed in China

SUMÁRIO

Assassinato no beco 7

O roubo inacreditável.. 68

O espelho do morto 123

Triângulo de Rhodes 211

Assassinato no beco

I

— VAI COLABORAR COM a gente, chefe?

O menino tinha a cara suja e um sorriso insinuante.

— Claro que não — respondeu o inspetor-chefe Japp. E olhe aqui, meu rapaz...

Enquanto Japp começava um sermão, o garoto tratava de bater em retirada, mas não sem antes gritar para os amigos:

— Que fora, o cara é um tira à paisana!

E saíram correndo, enquanto cantavam:

Lembrem-se, lembrem-se,
do 5 de novembro,
pólvora e conspiração.
Não há razão
para jamais esquecermos
uma grande traição.

O inspetor-chefe estava acompanhado por um homem maduro, pequeno, de testa larga e grandes bigodes à militar, que agora sorria consigo mesmo.

— *Très bien,* Japp. Meus parabéns. Foi um belo sermão.

— Essa história de pedir dinheiro para fazer o espantalho do Guy Fawkes não passa de uma desculpa esfarrapada para mendigar — disse o inspetor, ainda indignado.

— Uma tradição interessante — refletiu Hercule Poirot. Os fogos de artifício continuam a explodir — *bang, bang* —, mas o homem e seu crime já foram esquecidos.

O detetive da Scotland Yard concordou:

— A maioria desses garotos nem sabe quem foi Guy Fawkes.

8 AGATHA CHRISTIE

— E a confusão só tende a aumentar. Daqui a pouco vai haver quem não saiba se esses *feu d'artifice* de 5 de novembro celebram um dia de honra ou a vergonha nacional. Afinal, tentar dinamitar o parlamento inglês terá sido pecado ou virtude?

Japp riu.

— Muitos diriam que foi uma virtude.

Ao sair da rua principal, os dois homens entraram na relativa tranquilidade de um beco. Tinham acabado de jantar e cortavam caminho, de volta ao apartamento de Hercule Poirot.

Mesmo no beco, ainda se ouvia o estrondo das bombas e dos busca-pés. Os clarões de um ou outro foguete iluminavam os céus.

— Uma bela noite para um assassinato — comentou Japp, em tom profissional. — Numa noite como esta, ninguém ouviria um tiro.

— Sempre me pareceu estranho que mais criminosos não tirassem proveito da situação — respondeu Poirot.

— Sabe, Poirot, às vezes chego a desejar que você cometesse um crime.

— *Mon cher!*

— Sim, gostaria de saber como você o executaria.

— Meu caro Japp, se eu matasse alguém você não teria a menor chance de descobrir como eu o teria feito. Você nem sequer desconfiaria que um crime fora cometido.

Japp riu, com afeto.

— Você quase não é prosa, hein, Poirot?

Às 11h30 da manhã seguinte, o telefone tocou no quarto de Poirot.

— Alô, alô?

— Alô, Poirot?

— *Oui, c'est moi.*

— É o Japp. Lembra-se que ontem voltamos para casa pelo beco dos Bardsley Gardens?

— Lembro.

— E comentamos como seria fácil matar alguém com todo aquele barulho de fogos de artifício?

— E daí?

— Daí que alguém se suicidou naquele beco. No número 14. Uma jovem viúva, Mrs. Allen. Vou lá agora. Quer vir comigo?

— Não me leve a mal, Japp, mas alguém tão importante como você tem de cuidar de um simples caso de suicídio?

— Não, meu caro gênio. Mas o médico legista acha o caso um pouco suspeito. Quer vir? Acho que deveria.

— Então eu vou. Você disse número 14?

— Isso mesmo.

Poirot chegou ao número 14 do beco dos Bardsley Gardens quase na mesma hora em que parava à porta o carro que trazia Japp e três outros homens.

O número 14 já era centro do interesse geral. Uma multidão de curiosos, com motoristas particulares e suas mulheres, mensageiros, desocupados, transeuntes bem-vestidos e um bando de crianças pasmava diante da casa, de boca aberta e olhar surpreso.

Um guarda uniformizado mantinha-se à porta e tratava de afastar os importunos. Repórteres e fotógrafos precipitaram-se de imediato ao encontro de Japp.

— Nada a declarar — disse Japp, afastando-os com o braço. Fez um sinal para Poirot. — Vamos entrar.

A porta fechou-se às suas costas e eles se acharam ao pé de um acanhado lance de escadas.

Um homem surgiu no topo, reconheceu Japp e o chamou:

— Aqui em cima, inspetor.

Japp e Poirot subiram.

O homem no alto das escadas abriu uma porta e introduziu Japp e Poirot em um pequeno quarto.

— O senhor quer um resumo da situação, chefe?

— Vamos lá, Jameson — respondeu Japp. — Como foi o caso?

10 AGATHA CHRISTIE

O inspetor Jameson começou seu relato.

— A morta é a senhora Allen, chefe. Morava aqui com uma amiga, Miss Plenderleith. Miss Plenderleith foi passar o fim de semana fora e voltou hoje de manhã. Ela entrou com sua própria chave e estranhou não encontrar alguém, pois a faxineira geralmente chega às 9 horas. Veio primeiro ao seu quarto, que é este, depois cruzou o patamar para o quarto de sua amiga, mas a porta estava trancada por dentro. Tentou forçar a maçaneta, bateu, gritou, mas não teve resposta. Por fim, já assustada, telefonou para a polícia. Isso foi às 10h45. Viemos logo e arrombamos a porta. Mrs. Allen estava caída no chão, com um tiro na cabeça. Tinha uma automática na mão — uma Webley calibre 25 —, e parecia um evidente caso de suicídio.

— Onde está Miss Plenderleith?

— Embaixo, na sala de visitas. É uma moça que eu descreveria como muito segura de si mesma. Não é de perder a cabeça à toa.

— Vou falar com ela. Mas antes quero uma palavra com Brett.

Acompanhado de Poirot, Japp cruzou o patamar e entrou no quarto em frente. Um homem alto, de meia--idade, cumprimentou-os.

— Olá, Japp, alegro-me que tenha chegado. Este caso é meio estranho.

Japp caminhou em sua direção, enquanto Hercule Poirot demorava-se, percorrendo o quarto com os olhos.

Era um quarto bem maior que o outro. Tinha uma janela com uma pequena sacada e, enquanto o outro era simplesmente um quarto de dormir, este era uma com-binação de quarto de dormir com sala de visitas.

As paredes eram em tom prateado, e o teto, em verde--esmeralda. As cortinas eram em verde e prateado, com padrões modernos. Havia um divã com coberta verde--esmeralda em seda brilhante e diversas almofadas pra-teadas e douradas. Havia ainda uma grande escrivaninha e uma cômoda em nogueira, e diversas cadeiras em estilo moderno, em cromo brilhante. Numa pequena mesa com tampo de vidro estava um grande cinzeiro cheio de pontas de cigarros.

Hercule Poirot farejou o ar, delicadamente, e encaminhou-se até Japp, que olhava o cadáver.

O corpo tinha evidentemente escorregado de uma das cadeiras cromadas e era de uma mulher jovem, com seus 27 anos, com cabelos louros e feições delicadas. Havia pouca maquiagem no rosto, que era bonito, mas melancólico, e de expressão não muito inteligente. À esquerda da cabeça, via-se o sangue coagulado, e os dedos da mão direita seguravam uma pequena pistola. A moça usava um vestido simples, verde-escuro, abotoado até o pescoço.

— Bem, Brett, qual é o problema?

— A posição parece perfeita — respondeu o doutor.

— Se ela se matou com um tiro, o corpo provavelmente teria escorregado da cadeira e caído nesta posição. A porta estava trancada e a janela fechada por dentro.

— Então, qual é a dúvida?

— Dê uma olhada na pistola. Ainda não toquei nela — estou esperando pelos peritos em impressões digitais —, mas é fácil ver o que quero dizer.

Poirot e Japp ajoelharam-se e examinaram a arma com cuidado.

— Estou percebendo — disse Japp, erguendo-se. — Está na curva da mão. *Parece* que ela a está segurando, mas na verdade *não está*. Mais alguma coisa?

— Muitas. A arma está na mão direita, mas a ferida é acima do ouvido esquerdo. O ouvido *esquerdo*, veja bem.

— Hum — disse Japp. Parece que isso liquida o assunto. Deve ser impossível segurar uma pistola e dispará-la naquela posição com a mão direita.

— Completamente impossível. Você pode torcer o braço, mas duvido que possa disparar.

— O caso é bem óbvio. Alguém a matou e quis dar a impressão de suicídio. Mas e a porta e a janela, que estavam fechadas?

O inspetor Jameson tinha a resposta pronta.

— A janela estava fechada e trancada, chefe, mas embora a porta estivesse trancada, *não conseguimos encontrar a chave.*

Japp balançou a cabeça.

— É, o criminoso deu azar. Ele a matou, trancou a porta ao sair e ficou na esperança de que ninguém desse pela falta da chave.

Poirot murmurou:

— *C'est bête, ça!*

— Vamos lá, Poirot, não é todo o mundo que pode ter sua inteligência. Esse é o tipo de detalhe que pode ser facilmente esquecido. A porta está trancada, alguém a arromba e encontra a mulher morta, com um revólver na mão. Um caso evidente de suicídio, e ninguém se preocupa em procurar a chave. O assassino deu azar porque Miss Plenderleith mandou chamar a polícia. Se ela tivesse chamado um ou dois dos motoristas particulares que moram no beco para arrombar a porta, ninguém teria pensado em procurar a chave.

— É, parece ser verdade — disse Hercule Poirot. — Teria sido a reação natural de muita gente. A polícia geralmente só é chamada em último caso, não?

Ele continuava a olhar para o corpo.

— Alguma coisa errada? — perguntou Japp.

A pergunta foi lançada em tom casual, mas os olhos traíam seu interesse.

Hercule Poirot balançou a cabeça devagar.

— Eu estava olhando o relógio de pulso dela.

Ele se inclinou e tocou levemente no relógio, com a ponta de um dedo. Era um relógio delicado, com pulseira em chamalote brilhante, que a morta usava no pulso da mão que segurava a arma.

— Um belo relógio — comentou Japp. Deve ter custado caro. — Olhou interrogativamente para Poirot. — Algo de estranho?

— Possivelmente... sim.

Poirot encaminhou-se para a escrivaninha, com uma tampa corrediça em cor que combinava com a tonalidade geral do quarto. Sobre ela havia um pesado tinteiro e, em frente a este, um mata-borrão laqueado. À esquerda do mata-borrão estava um descanso para penas de escrever em tom verde-esmeralda com um suporte prateado para canetas, um bastão de cera para lacrar cartas, um lápis e dois selos. À direita do mata-borrão, havia um calendário móvel com o dia da semana, a data e o mês. Havia ainda um pequeno vidro de tonalidade variável e, emergindo dele, uma resplendente pena de cauda de ave.

Poirot deu a impressão de se interessar pela pena: pegou-a e examinou-a, mas não havia traços de tinta. Evidentemente tinha o propósito apenas decorativo. As canetas de pena de metal, com o bico manchado de tinta, eram as que realmente se usavam. O olhar de Poirot fixou-se no calendário.

— Terça-feira, 5 de novembro — comentou Japp. — Ontem. Está certo.

E dirigindo-se a Brett:

— Há quanto tempo ela morreu?

— Ela morreu às 23h33 de ontem — veio a resposta pronta. E Brett riu ao ver a expressão de surpresa no rosto de Japp.

— Não leve a mal, meu caro. Não resisti à tentação de bancar o superdoutor das histórias de detetive. Na verdade, o máximo que posso dizer é que ela morreu por volta das 23 horas — uma hora a mais, uma hora a menos.

— Ah, pensei que o relógio tivesse parado na hora da morte, ou qualquer coisa assim.

— Ele parou mesmo, mas foi às 4h15.

— E suponho que ela não possa ter sido morta às 4h15.

— De jeito nenhum.

Poirot tinha olhado nas costas da folha do mata-borrão.

— Boa ideia — disse Japp. — Mas não há nada aí.

O mata-borrão estava limpo dos dois lados. Poirot examinou as outras folhas, mas todas tinham o mesmo aspecto. A seguir, examinou a cesta de papéis. Nela estavam duas ou três cartas e propagandas rasgadas. Mas rasgadas uma única vez, e assim puderam ser facilmente recompostas. Não passavam de um pedido de dinheiro de uma sociedade de amparo aos ex-pracinhas, um convite para um coquetel no dia 3 de novembro e uma carta da costureira confirmando uma hora marcada. Entre as propagandas, o aviso de uma próxima liquidação de peles e o catálogo de um grande bazar.

— Nada que interesse — observou Japp.

— Não, estranho... — respondeu Poirot.

— Você quer dizer que, em geral, os suicidas deixam uma carta?

— Exatamente.

— Pois então aí está mais uma prova de que não foi suicídio. Japp afastou-se.

— Vou pôr meus homens para trabalhar. É melhor descermos e entrevistarmos esta Miss Plenderleith. Vamos, Poirot?

Poirot parecia ainda fascinado pela escrivaninha e seus objetos. Finalmente saiu do quarto, mas, à porta, voltou-se ainda uma vez para olhar a ostentosa pena de ave.

II

Aos pés da escada, uma porta dava passagem para uma grande sala de estar, que em outros tempos fora um estábulo. O aposento tinha as paredes em argamassa rústica e nelas se penduravam gravuras em água-forte e madeira. Duas pessoas estavam sentadas. Uma era uma mulher morena, de 27 ou 28 anos, com um ar de sobriedade em suas maneiras; posicionara-se perto da lareira e aquecia as mãos. A outra, uma matrona de amplas proporções, com uma bolsa de pano, falava agitadamente quando os dois homens entraram.

— ... e como eu ia dizendo, Miss, levei um susto tão grande que quase caí dura. E pensar que tinha de ser justamente hoje...

A outra a interrompeu.

— Está bem, Mrs. Pierce. Acho que estes cavalheiros são da polícia.

— Miss Plenderleith? — perguntou Japp, adiantando-se.

— Sim. Esta é Mrs. Pierce, que vem fazer a faxina diária. Mrs. Pierce despejou-se em nova torrente de palavras.

— E, como eu estava dizendo a Miss Plenderleith, pensar que, logo hoje, minha irmã Louisa Maud tinha de ficar doente, e eu tenho de ajudar, porque irmã é irmã e eu não pensei que Mrs. Allen fosse se importar, embora eu nunca procure deixar as senhoras assim em falta...

Japp interrompeu-a com habilidade.

— De fato, Mrs. Pierce. Quem sabe a senhora não gostaria de ir à cozinha com o inspetor Jameson e dar-lhe suas declarações por escrito?

Tendo se livrado de Mrs. Pierce e sua loquacidade, Japp voltou a se concentrar na jovem.

— Sou o inspetor-chefe Japp, Miss Plenderleith. A senhorita poderia contar-me tudo o que sabe sobre o que se passou?

— Perfeitamente. Por onde quer que eu comece?

Seu autocontrole era admirável. Não havia o menor sinal de choque ou de pesar, exceto talvez por uma certa rigidez de atitude.

— A que horas a senhorita chegou hoje de manhã?

— Acho que foi pouco antes das 10h30. Mrs. Pierce, a mentirosa, não estava aqui...

— Ela fala muito?

Jane Plenderleith deu de ombros.

— Umas duas vezes por semana ela só aparece ao meio-dia — ou simplesmente não aparece —, embora seu

16 AGATHA CHRISTIE

horário de entrada seja às 9 horas. Mas, como eu dizia, duas vezes por semana ou ela "tem uns troços" ou é algum membro da família que cai de cama. Todas essas faxineiras são assim. Ela até que não é das piores.

— Há quanto tempo ela trabalha aqui?

— Pouco mais de um mês. A anterior roubava coisas.

— Prossiga, Miss Plenderleith.

— Paguei o táxi, pus minha mala dentro de casa, procurei Mrs. Pierce e não a encontrei; depois subi para meu quarto. Arrumei-me ligeiramente e fui para o quarto de Bárbara — Mrs. Allen —, mas a porta estava fechada. Forcei um pouco a maçaneta e bati, mas não obtive resposta. Então desci e telefonei para a polícia.

— *Pardon* — interpôs Poirot com uma pergunta rápida. — Não lhe passou pela cabeça tentar arrombar a porta, talvez com a ajuda de um dos motoristas do beco?

Ela se voltou para ele, com seus olhos calmos, cinza-esverdeados, medindo-o numa mirada rápida mas precisa.

— Não, não me passou pela cabeça. Pensei que, se havia alguma coisa errada, o melhor seria chamar a polícia.

— Então a senhorita imaginou que havia alguma coisa errada?

— Naturalmente que havia.

— Só porque não responderam a suas batidas? Mas sua amiga poderia ter tomado uma pílula de dormir ou outra coisa qualquer.

— Ela nunca tomava pílulas de dormir.

— Ou talvez ela tivesse saído e trancado a porta?

— E por que ela haveria de sair? Em todo caso, ela teria me deixado um bilhete.

— E a senhorita tem certeza de que ela não lhe deixou um bilhete?

— Claro que tenho. Se ela tivesse, eu o teria visto imediatamente. Sua voz tinha agora uma tonalidade áspera.

Japp perguntou:

— A senhorita não tentou espiar pelo buraco da fechadura, Miss Plenderleith?

— Não — respondeu Jane Plenderleith, pensativamente. — Não me ocorreu olhar pelo buraco da fechadura. Mas eu não poderia ver algo mesmo, poderia? Pois a chave me impediria.

Ela tinha uma expressão inocente, e seu olhar não se desviou do de Japp. Poirot subitamente sorriu para si mesmo.

— Tem razão, Miss Plenderleith — disse Japp. — Creio que a senhorita não tinha motivo algum para acreditar que sua amiga poderia ter cometido suicídio, não?

— Não, claro que não.

— Ela não tinha por acaso mostrado sinais de preocupação?

Houve um intervalo, uma pausa prolongada, antes que a jovem respondesse.

— Não.

— A senhorita sabia que ela tinha uma pistola?

Jane Plenderleith assentiu.

— Sim, ela a tinha desde o tempo em que morou na Índia. Ela sempre a guardava em uma gaveta, em seu quarto.

— Ah, ela tinha porte de arma?

— Creio que sim, mas não tenho certeza.

— Agora, Miss Plenderleith, conte-me, por favor, tudo o que sabe sobre Mrs. Allen, há quanto tempo a conhece, onde posso encontrar seus amigos e parentes. Em suma, tudo.

Jane Plenderleith tornou a assentir com a cabeça.

— Conheço Bárbara há uns cinco anos. A primeira vez que a vi foi numa viagem ao estrangeiro, ao Egito, para ser mais precisa. Ela vinha da Índia, de volta à Inglaterra. Eu lecionara por algum tempo na British School de Atenas e resolvera passar algumas semanas de férias no Egito antes de voltar para casa. Nós nos encontramos numa excursão pelo rio Nilo. Ficamos amigas, gostamos logo uma da outra. Eu estava justamente procurando alguém para dividir comigo o aluguel de um apartamento ou de uma casa pequena. Bárbara não tinha alguém no mundo e pensamos que talvez nos déssemos bem.

— E vocês se deram bem? — perguntou Poirot.

— Muito bem. Tínhamos cada uma seu próprio grupo de amigos. Os de Bárbara eram mais chegados à sociedade, e os meus, aos meios artísticos. Deve ter sido por isso mesmo que nos demos tão bem.

Poirot concordou. Japp prosseguiu:

— O que você sabe sobre a família de Mrs. Allen e de sua vida antes de vocês se encontrarem?

Jane Plenderleith deu de ombros.

— Não muito, na verdade. Acho que seu nome de solteira era Armitage.

— Seu marido?

— Não creio que fosse boa coisa. Parece que bebia. Acho que ele morreu um ano ou dois depois do casamento. Eles tiveram uma filha, que morreu aos 3 anos. Bárbara quase não falava de seu marido e parece que se casou com ele na Índia, quando tinha apenas 17 anos. Depois eles foram para Bornéu ou um desses outros fins do mundo para onde os imprestáveis são enviados; mas, como o assunto evidentemente trazia lembranças dolorosas, eu nunca me referi a ele.

— Sabe se Mrs. Allen estava em alguma dificuldade financeira?

— Tenho certeza de que não.

— Há ainda outra pergunta que preciso fazer, e espero que a senhorita não se aborreça com ela, Miss Plenderleith. Mrs. Allen tinha algum amigo homem, ou amigos homens?

Jane Plenderleith respondeu friamente.

— Bem, ela estava noiva e ia casar, se isso responde sua pergunta.

— Qual é o nome do homem com quem ela ia se casar?

ASSASSINATO NO BECO 19

— Charles Laverton-West. Ele é deputado, eleito por um distrito em Hampshire.

— Ela o conhecia há muito tempo?

— Pouco mais de um ano.

— E há quanto tempo eles estavam noivos?

— Dois... não, quase três meses.

— Sabe se eles tiveram alguma briga?

Miss Plenderleith balançou a cabeça negativamente.

— Não, e eu teria me surpreendido se tivesse havido. Bárbara não era do tipo que discute.

— Quando foi a última vez que a senhorita viu Mrs. Allen?

— Sexta-feira, quando fui passar o fim de semana fora.

— Mrs. Allen ia ficar em Londres?

— Ia. Acho que ela tinha combinado sair com o noivo no domingo.

— E a senhorita, onde passou o fim de semana?

— Em Laidells Hall, Laidells, Essex.

— Na casa de quem?

— Mr. e Mrs. Bentinck.

— A senhorita só saiu de lá hoje de manhã?

— Sim.

— Então deve ter sido muito cedo.

— Mr. Bentinck me trouxe de carro. Ele sai cedo porque tem de estar no escritório às 10 horas.

— Compreendo.

Japp balançou a cabeça. As respostas de Miss Plenderleith tinham sido prontas e convincentes.

Poirot fez uma pergunta, por sua vez.

— O que a senhorita acha de Mr. Laverton-West? A jovem deu de ombros.

— Interessa a alguém?

— Talvez não interesse, mas mesmo assim gostaria de ter sua opinião.

— Acho que nem chego a ter uma opinião. Ele é moço, não mais de 31 ou 32 anos, ambicioso, bom orador, quer subir na vida.

20   AGATHA CHRISTIE

— Esse é seu lado bom. E o mau?

— Bem — Miss Plenderleith pensou alguns instantes.
— Em minha opinião ele é muito quadrado e ligeiramente presunçoso. Suas ideias não têm originalidade.

— Esses não chegam a ser defeitos sérios, senhorita —
disse Poirot, com um sorriso.

— O senhor acha?

Seu tom de voz era levemente irônico.

— Para a senhorita, talvez.

Ele a estava observando e notou que a resposta a deixou um pouco embaraçada. Aproveitou então para tirar
partido da vantagem.

— Mrs. Allen nem repararia neles.

— O senhor tem razão. Bárbara o achava maravilhoso
e tinha grande admiração por ele.

Poirot perguntou com amabilidade:

— A senhorita gostava de sua amiga?

Ele viu suas mãos se crisparem sobre o joelho, notou
o súbito endurecimento dos músculos do rosto, mas a
resposta veio numa voz sem qualquer emoção.

— Sim. Gostava.

Japp interveio:

— Mais outra coisa, Miss Plenderleith. A senhorita e
Mrs. Allen não brigaram? Não tiveram ao menos uma
discussão?

— Não, nenhuma.

— Nem a propósito de seu noivado?

— Claro que não. Fiquei feliz por vê-la tão contente.

— A senhorita sabe se Mrs. Allen tinha algum inimigo?

Dessa vez houve uma pausa significativa antes que Jane
Plenderleith respondesse. E, quando ela o fez, foi num
tom de voz ligeiramente diferente.

— Não compreendo bem o que o senhor quer dizer
com inimigos.

— Alguém, por exemplo, que se beneficiasse com a
morte dela.

— Ah, não, de jeito algum. Ela não tinha dinheiro
para isso.

— Mas quem é sua herdeira, mesmo assim?

— Olhe, nem pensei nisso. Mas não me surpreenderia se fosse eu. Quer dizer, na hipótese de ela ter feito um testamento.

— E nenhuma outra espécie de inimigo? Gente que guardasse algum ressentimento dela?

— Não creio que alguém pudesse ter rancor dela. Mrs. Allen era uma ótima pessoa, sempre amável, sempre procurando ser agradável. Tinha um ótimo temperamento.

Era a primeira vez que a voz de Jane Plenderleith deixava entrever alguma dor.

Poirot assentiu gentilmente.

Japp disse:

— Em resumo, Mrs. Allen vinha se mostrando alegre, não tinha qualquer problema financeiro e sentia-se feliz por estar de casamento marcado. Não havia uma razão para levá-la a se matar. Correto?

Houve um segundo de silêncio antes que Jane respondesse.

— Correto.

— Se a senhorita me dá licença, preciso falar com o inspetor Jameson.

Ele saiu.

Hercule Poirot ficou sozinho com Jane Plenderleith.

III

Houve silêncio por alguns minutos.

Jane Plenderleith rapidamente mediu o homenzinho de alto a baixo, mas depois olhou em frente e não falou uma palavra sequer. De qualquer forma, um certo nervosismo de sua parte indicava que ela estava consciente de sua presença. Seu corpo mantinha-se imóvel, mas estava tenso. Quando Poirot finalmente falou, foi evidente que o simples som de sua voz contribuiu para aliviar a tensão. Ele se dirigiu a ela em tom amável:

— Quando a senhorita acendeu a lareira?

— A lareira? — sua voz soava distraída. — Oh, assim que cheguei.

— Antes de subir ou depois?

— Antes.

— Compreendo. Sim, é claro. E ela já estava posta, ou a senhorita teve de colocar lá os carvões?

— Já estava preparada. Tive apenas de acendê-la.

Sua voz soava um pouco impaciente, como se ela suspeitasse que ele apenas procurava fazer conversação social. E é possível que esse fosse mesmo o objetivo de Poirot. De uma forma ou de outra ele continuou, no mesmo tom:

— Mas sua amiga... No quarto dela a lareira é a gás, não?

Jane Plenderleith respondeu mecanicamente.

— Esta é a única lareira a lenha que temos. Todas as outras são a gás.

— E o fogão também é a gás?

— Acho que hoje em dia todos são, não?

— É verdade. Muito mais prático.

A conversa morreu. Jane Plenderleith bateu com o pé no chão e perguntou abruptamente:

— Este homem, este inspetor-chefe Japp, ele é inteligente?

— Sim, todos acham que sim. Ele é trabalhador e muito minucioso. Dificilmente deixa escapar algum detalhe.

— Será que... — começou Jane, mas interrompeu-se.

Poirot a observava. O fogo na lareira realçava o verde de seus olhos, e ele perguntou:

— A morte de sua amiga foi um grande choque, não?

— Terrível! — A resposta veio cheia de sinceridade.

— A senhorita não esperava por isso, não é?

— Claro que não.

— Então sua primeira impressão foi de que era impossível, que não podia ter acontecido?

O calor humano nas palavras de Poirot pareceu derreter o gelo de Jane Plenderleith. Ela respondeu imediatamente, ansiosa, sem mais rigidez em seus modos:

— É exatamente isso o que sinto. Mesmo que Bárbara *tenha se suicidado*, não posso acreditar que ela o tenha feito *daquela maneira*.

— Mas ela tinha ou não tinha uma pistola?

— Mas ela guardava aquela pistola mais como um *souvenir* do que como uma arma. Recordação dos lugares exóticos onde esteve. Era por hábito, não por vontade ou necessidade de usá-la. Tenho certeza disso.

— E por que a senhorita tem tanta certeza?

— Por causa das coisas que ela me dizia.

— Como, por exemplo?

A voz de Poirot era amável e conduzia a conversação com habilidade.

— Como, por exemplo, no dia em que estávamos conversando sobre suicídios e ela me disse que a maneira ideal de alguém se matar era simplesmente virar o bico do gás, fechar todas as janelas e frestas e ir para a cama. Respondi que nunca me mataria assim, que não era meu temperamento me deitar e ficar lá, esperando. Disse que preferia me matar com um revólver, e ela respondeu que não, que nunca poderia fazer isso. Ela disse que tinha medo do tiro e do barulho.

— Compreendo — respondeu Poirot — Como a senhorita disse, é estranho. Porque, veja bem, *havia uma lareira a gás no quarto dela.*

Jane Plenderleith olhou-o com expressão de surpresa.

— É mesmo, havia. Então não compreendo, não compreendo por que ela não usou o gás.

Poirot balançou a cabeça.

— Sim, parece estranho, parece pouco natural.

— A coisa toda parece estranha. Ainda não me convenci de que ela tenha se suicidado. Mas foi suicídio, não foi?

— Bem, há outra possibilidade.

— O que o senhor quer dizer com isso?

— Pode ter sido... assassinato.

24 AGATHA CHRISTIE

— Assassinato? — Jane Plenderleith tremeu visivelmente. — Mas é horrível, isto é...

— Horrível, talvez, mas a senhorita acha impossível?

— Mas a porta estava trancada por dentro. E a janela também.

— A porta estava trancada, é verdade. Mas ninguém pode afirmar se por dentro ou por fora, porque, não sei se a senhorita sabe, *a chave está sumida.*

— Mas então, se vocês não conseguiram achar a chave... — Ela se interrompeu por um momento e prosseguiu: — Então a porta deve ter sido trancada *por fora.* Do contrário a chave estaria no quarto.

— Talvez esteja ainda. Lembre-se que a busca no recinto não acabou. Ou talvez Mrs. Allen tenha atirado a chave pela janela e alguém a tenha apanhado.

— Assassinato! — exclamou Jane Plenderleith. Ela parecia examinar a hipótese, o rosto inteligente mostrando um esforço de concentração. — Acho que o senhor tem razão.

— Mas, se foi assassinato, deve ter havido um motivo. A senhorita sabia de algum motivo?

Ela negou com a cabeça. Mas, apesar disso, Poirot teve novamente a impressão de que Miss Plenderleith procurava ocultar alguma coisa. A porta abriu-se, e Japp entrou.

Poirot ergueu-se.

— Acabo de dizer a Miss Plenderleith que a morte de sua amiga não foi suicídio.

Japp pareceu momentaneamente sem ação, e deu um rápido olhar de desaprovação a Poirot.

— É muito cedo para afirmarmos qualquer coisa. Precisamos examinar todas as possibilidades. Por enquanto, não há algo definido.

Jane Plenderleith respondeu serenamente:

— Compreendo.

Japp caminhou em sua direção.

— Diga-me, Miss Plenderleith, já viu isto antes?

Na palma de sua mão estava um pequeno objeto oval, esmaltado em azul-escuro.

Jane Plenderleith balançou negativamente a cabeça.

— Não, nunca.

— Não é seu ou de Mrs. Allen?

— Não. Não me parece uma coisa muito feminina, parece?

— Ah, então a senhorita o reconhece?

— Bem, parece óbvio que é um pedaço de abotoadura de homem, não?

IV

— Aquela moça é meio petulante — queixou-se Japp. Os dois homens estavam novamente no quarto de Mrs. Allen. O cadáver fora fotografado e removido; os peritos tiraram as impressões digitais e já tinham ido embora.

— Mas você não deve tomá-la por tola, pois ela é evidentemente inteligente. Na verdade, eu diria que ela é extraordinariamente inteligente e competente.

— Você desconfia que ela possa ter matado a amiga?

— perguntou Japp, com um raio de esperança, e prosseguiu:

— Acho que é bem capaz. Precisamos investigar melhor seu álibi. Quem sabe se as duas não tiveram uma briga por causa desse deputado? O desprezo que ela *mostrou* sentir por ele pode ser falso. É capaz dela ter se engraçado para cima dele e levado um fora. Ela é do tipo de mulher que mataria alguém se tivesse vontade e teria calma suficiente para fazê-lo sem deixar vestígios. Sim, vamos ter de investigar melhor aquele álibi. Ele me pareceu arranjado, um pouco convenientemente demais, e, afinal de contas, Essex não é assim tão longe. Há trens para lá com grande frequência. Ou ela podia ter usado um bom car-

26 AGATHA CHRISTIE

ro. Vale a pena descobrir se ela ontem foi dormir cedo, alegando uma dor de cabeça ou algo semelhante.

— Você tem razão — concordou Poirot.

— De qualquer forma — continuou Japp —, ela está escondendo alguma coisa da gente, você não acha? Aquela moça sabe de alguma coisa.

Poirot parecia pensativo.

— Sim, ela está escondendo alguma coisa.

— Isso é sempre um problema em casos como este — queixou-se Japp. Há sempre gente que *esconde* os fatos, às vezes, até por motivo justificado.

— E nesse caso não podemos culpá-los, meu amigo.

— Não, mas torna *nosso* trabalho mais difícil — resmungou Japp.

Poirot consolou-o:

— Essas oportunidades servem apenas para realçar seu talento. E por falar nisso, como estamos de impressões digitais?

— Não há ao menos uma na pistola, o que torna evidente que se trata de um assassinato. O revólver foi cuidadosamente limpo antes de ser colocado em sua mão. Mesmo que ela fosse uma contorcionista e conseguisse atirar com a pistola naquela posição, seria impossível disparar a arma sem segurá-la, e não poderia limpá-la depois de morta.

— Não há dúvida de que deve ter havido uma segunda pessoa.

— O resto do quarto também não tem impressões digitais. Nenhuma na maçaneta, nenhuma na janela. Curioso, não? Mas diversas impressões de Mrs. Allen nos outros lugares.

— Jameson teve algum sucesso?

— Com a faxineira? Nenhum. Ela fala muito, mas na verdade não sabe muita coisa. Confirmou que Mrs. Allen e Miss Plenderleith se davam bem. Mandei o Jameson ouvir os outros moradores do beco. Vamos precisar falar também com Mr. Laverton-West. Descobrir onde ele estava ontem à noite e o que estava fazendo. Mas, antes, vamos dar uma olhada nos papéis de Mrs. Allen.

E pôs mãos à obra. De vez em quando, resmungava e jogava algum papel na direção de Poirot. A busca não demorou muito, pois os papéis na escrivaninha eram poucos e estavam bem-arrumados e documentados.

O inspetor-chefe acabou por se erguer, deixando escapar um suspiro.

— Quase nada, hein?

— Muito pouco.

— E tudo legal. Recibos, algumas contas ainda por pagar. Nada suspeito. Convites para festas, bilhetes de amigas. Você já deu uma espiada aí, no talão de cheques e na caderneta de depósitos? Algo de interessante?

— Só que ela tinha sacado além de seus fundos.

— Algo mais?

— Isto é um interrogatório? Mas sei aonde você quer chegar. Ela fez uma retirada de duzentas libras há três meses como despesas gerais... e outra ontem na mesma quantia.

— E o canhoto de ontem não está preenchido. Além disso, todas as outras retiradas para despesas gerais são de pequenas quantias... 15 libras no máximo. E vou lhe dizer mais. Não há nem sombra das duzentas libras nesta casa. Tudo o que encontramos foram quatro libras numa bolsa e alguns trocados em outra. Acho que não pode haver dúvida.

— De que ela pagou a alguém ontem?

— Sim. Mas a quem ela poderá ter pago?

— Conseguiu alguma coisa, Jameson?

— Sim, chefe, diversas. Para início de conversa, ninguém ouviu o tiro. Duas ou três mulheres dizem que ouviram, mas são do tipo que tem uma imaginação muito fértil. Com aqueles fogos de artifício não dava mesmo para alguém ouvir algo.

Japp grunhiu.

— Tem razão. Continue.

28 AGATHA CHRISTIE

— Mrs. Allen não saiu de casa a maior parte da tarde e da noite de ontem. Ela entrou às 17 horas. Às 18 horas, saiu outra vez, mas foi só até a caixa dos correios na esquina. Às 21h30, um carro chegou — um cupê Standard Swallow — com um passageiro, um homem de seus 45 anos, de aparência militar, sobretudo azul, chapéu-coco e bigode tipo escovão. James Hogg, um motorista particular que mora no número 18, diz que já o viu antes na casa de Mrs. Allen.

— Quarenta e cinco anos — murmurou Japp. — Não pode ser o deputado.

— Esse homem permaneceu durante quase uma hora. Saiu às 22h20 e parou na porta para dizer alguma coisa a Mrs. Allen. O filho do motorista, Frederick Hogg, estava perto e ouviu suas palavras.

— E o que ele disse?

— "Pense bem e me dê uma resposta." Em seguida, Mrs. Allen disse alguma coisa, e o homem respondeu: "Então está bem. Até breve." Depois ele entrou no carro e afastou-se.

— Isso foi às 22h20 — murmurou Poirot, pensativamente. Japp esfregou o nariz.

— Então, às 22h20, Mrs. Allen estava viva — comentou. — E o que mais você conseguiu?

— Mais nada, chefe; pelo menos, por enquanto. O motorista que mora no número 22 chegou às 22h30 e tinha prometido aos filhos soltar alguns fogos. Os garotos ficaram à espera... junto com uma porção de outros vizinhos. Eles soltaram os fogos com muita gente assistindo. Depois foi todo o mundo para cama.

— E ninguém mais foi visto entrando no número 14?

— Não, mas não quer dizer que alguém não tenha entrado. Não havia alguém para ver.

— Hum — fez Japp. — É verdade. Bom, vamos ter de descobrir quem é esse cavalheiro com pinta de militar e bigode escovão. Parece não haver dúvida de que ele foi o último a ver Mrs. Allen viva. Quem será o nosso amigo?

— Miss Plenderleith poderia dizer-nos — sugeriu Poirot.

— Não duvido, mas é bem capaz de ela não nos contar nada. Não tenho dúvida de que ela está escondendo alguma coisa. O que você acha, Poirot? Você esteve sozinho um longo tempo com ela. Você não deu aquela de padre confessor que, em geral, faz tanto sucesso?

Poirot deu de ombros.

— Não, falamos só de lareiras a gás.

— Lareiras a gás! — Japp parecia indignado. — O que que há com você, meu velho? Desde que você chegou não tem feito mais do que investigar penas de ave e cestas de papéis. É, eu vi você dando uma olhada na cesta de lixo do andar térreo. Achou alguma coisa?

Poirot suspirou.

— Um catálogo de plantas e uma revista velha.

— Mas o que você quer, afinal? Se alguém quisesse jogar fora algum documento incriminador, ou seja lá o que for, certamente não iria usar a cesta de papéis.

— Você tem toda razão. Só algo sem a menor importância seria atirado na cesta de papéis.

Poirot falou num tom de voz resignado, mas mesmo assim Japp olhou-o desconfiado.

— Bem — disse por fim. — Já sei o que vou fazer. E você?

— *Eh bien* — respondeu Poirot. — Vou continuar a procurar coisas sem importância. Ainda há a lata de lixo.

E saiu da sala rapidamente. Japp continuou a olhá-lo com expressão de desagrado.

— Doido, só pode estar doido.

O inspetor Jameson manteve-se em respeitoso silêncio. Seu rosto contudo falava por ele, com superioridade britânica: "Esses estrangeiros..."

Mas, em voz alta, o que ele acabou dizendo foi:

— Então este é o senhor Hercule Poirot. Já ouvi falar dele.

— Um velho amigo meu — explicou Japp. — Não é tão maluco quanto parece, mas a idade é sempre um problema.

— Deve estar ficando gagá, chefe, se me permite a expressão.

— Pode ser — continuou Japp —, mas, mesmo assim, gostaria de saber o que ele tem na cabeça.

E encaminhou-se para a escrivaninha, onde ficou a examinar desconfiado uma pena de escrever verde-esmeralda.

V

Japp ia começar a conversar com a esposa do motorista quando Poirot subitamente apareceu em seus calcanhares, caminhando tão silenciosamente quanto um gato.

— Epa, você me deu um susto — disse Japp. — Achou alguma coisa?

— Não o que eu estava procurando.

— A senhora tem certeza de que já tinha visto antes o homem que esteve ontem à noite com Mrs. Allen?

— Absoluta, senhor. E meu marido também. Nós o reconhecemos logo.

— Agora preste atenção, Mrs. Hogg. A senhora é uma mulher inteligente, qualquer um pode ver. Não tenho dúvida de que a senhora deve estar muito bem informada sobre o que se passa aqui no beco. E a senhora é uma mulher de bom senso, um grande bom senso, é fácil de se ver — Japp mentia descaradamente, repetindo essa observação pela terceira vez.

Mrs. Hogg empertigou-se toda, assumindo um ar de inteligência quase sobrenatural. Japp prosseguiu:

— Fale-me das duas moças, Mrs. Allen e Miss Plenderleith. Eram do tipo leviano, de viver metidas em festas, em boates?

— Não, senhor, de jeito algum. Elas saíam bastante, especialmente Mrs. Allen, mas eram moças *de classe*, se o senhor me compreende, não como outras que moram no fim do beco. Tenho certeza de que do jeito como aquela Mrs. Stevens anda, se é que ela é Mrs. mesmo, o que eu duvido... bem, do jeito que ela vive, eu...

— Compreendo, compreendo — interrompeu Japp.

— O que a senhora acabou de me dizer é muito importante, Mrs. Hogg. Todos aqui gostavam de Mrs. Allen e de Miss Plenderleith, não?

— Sim, todos. Elas eram muito boas, especialmente Mrs. Allen. Sempre amável com as crianças, sempre. Parece que sua filhinha tinha morrido, pobrezinha. É a vida... eu mesma já enterrei três dos meus filhos. E o que sempre digo é que...

— Sim, sim, muito triste. E Miss Plenderleith?

— Ela também é uma boa moça, mas um pouco mais brusca, se o senhor me compreende. Apenas um cumprimento rápido quando passava, sem parar para conversar. Mas não tenho qualquer coisa contra ela.

— As duas se davam bem?

— Sim. Nunca as vi discutindo. Sempre muito alegres e contentes. Tenho certeza de que Mrs. Pierce vai confirmar o que digo.

— Sim, nós já falamos com ela. A senhora conhece de vista o noivo de Mrs. Allen?

— O moço com quem ela ia casar? Conheço. Ele vinha aqui frequentemente. Dizem que é deputado.

— E não foi ele quem esteve aqui ontem à noite?

— Não, senhor, *não foi* — Mrs. Hogg empertigou-se de novo. Estava visivelmente excitada, mas assumiu uma expressão de rígida formalidade antes de prosseguir:

— E, se me permite, o que o senhor está pensando está completamente errado. Mrs. Allen não era *desse* tipo, posso assegurar-lhe. É verdade que não havia outra pessoa na casa, mas eu *não* acredito nesta insinuação... Ainda hoje de manhã eu dizia a meu marido: "Não, Hogg,

Mrs. Allen era uma senhora de classe, portanto, não adianta vir com insinuações", porque eu sei como os homens são, se o senhor me perdoa. Sempre pensando em indecências.

Japp continuou, ignorando o insulto:

— A senhora viu esse homem chegar e viu-o sair de novo, não?

— É verdade.

— E a senhora não ouviu nada? Nenhuma discussão?

— Não, nem era provável que ouvisse. Isso não quer dizer que não se possa ouvir alguma coisa, muito pelo contrário, pois Mrs. Stevens, por exemplo, está sempre gritando tanto com aquela pobre empregada que é impossível deixar de escutar... e eu e muita gente já aconselhamos a pobre coitada a não tolerar mais a situação; mas o senhor sabe, o salário é bom... a dona tem um gênio dos diabos, mas paga alto... uma libra e meia por semana.

Japp disse rapidamente:

— Mas a senhora não ouviu nada parecido no número 14?

— Não, senhor, nem era provável, com aqueles fogos de artifício explodindo por toda parte, que até queimaram as sobrancelhas do meu pobre Eddie.

— O homem que veio visitar Mrs. Allen saiu às 22h20, não é verdade?

— Não posso dizer com certeza, senhor. Mas meu marido diz que sim, e ele é homem de saber o que está falando.

— Mas a senhora viu o homem sair. A senhora ouviu o que ele disse?

— Não, senhor. Eu não estava suficientemente perto. Apenas o vi de minha janela, de pé na porta, conversando com Mrs. Allen.

— A senhora viu Mrs. Allen também?

— Vi sim, senhor, ela estava na porta, mas do lado de dentro.

— Viu que roupa ela estava usando?

— Não reparei. Não estava prestando tanta atenção assim.

Poirot então disse:

— Não deu nem para notar se ela estava vestida para sair ou com uma roupa de ficar em casa?

— Não, não deu.

Poirot olhou pensativamente para a janela da casa de Mrs. Hogg e depois para a do número 14, do outro lado da rua. Sorriu consigo mesmo e, por um instante, seu olhar se cruzou com o de Japp.

— E o cavalheiro?

— Ele estava usando um sobretudo azul-escuro com um chapéu-coco. Muito distinto e elegante.

Japp fez mais algumas perguntas e passou depois à entrevista seguinte. Era com Frederick, um garoto de cara travessa, olhos vivos e ar de quem se achava enormemente importante.

— Sim, senhor, eu os ouvi conversando. "Pense bem e me dê uma resposta", disse o cavalheiro. Com um tom de voz amável, o senhor compreende? Então a senhora respondeu alguma coisa, e ele continuou: "Então está bem. Até breve." Então o cavalheiro entrou no carro... eu abri a porta, mas ele não me deu coisa alguma... — Informou Frederick Hogg, com um ligeiro tom de censura na voz, finalizando:

— E ele foi embora.

— Você não ouviu o que Mrs. Allen disse?

— Não, senhor, não deu para ouvir.

— Sabe me dizer o que ela estava usando? A cor do vestido, por exemplo?

— Não reparei. O senhor compreende, eu não cheguei a vê-la. Ela devia estar atrás da porta.

— É provável — disse Japp. — Agora preste atenção, meu filho, porque eu quero que você responda minha próxima pergunta com muito cuidado. Se você não souber ou não puder se lembrar, diga. Está bem claro?

— Sim, senhor.

— Qual dos dois fechou a porta, a senhora Allen ou o cavalheiro?

34 AGATHA CHRISTIE

— A porta da frente?

— A porta da frente, claro.

O garoto refletia. Seus olhos mostravam seu esforço de concentração.

— Acho que foi a senhora... Não, não foi ela, foi ele. Puxou a porta, porque eu até me lembro quando ela bateu, e entrou depressa no carro. Parecia até que estava atrasado para algum encontro.

— Muito bem, meu filho, você parece um rapaz inteligente. Tome aqui este dinheiro.

Depois de mandar Frederick Hogg embora, Japp voltou-se para seu amigo. Lentamente suas cabeças se inclinaram em sinal de concordância.

— Pode ser — comentou Japp.

— Há possibilidades — respondeu Poirot.

Seus olhos verdes brilhavam como os de um gato.

VI

Ao voltar à sala de visitas do número 14, Japp não perdeu tempo com cerimônias. Foi direto ao assunto.

— Olhe aqui, Miss Plenderleith, a senhorita não acha melhor contar logo toda a verdade? Vamos acabar descobrindo de qualquer jeito.

Jane Plenderleith ergueu as sobrancelhas. Ela estava em frente à lareira, procurando aquecer um pé próximo à chama.

— Não sei do que o senhor está falando.

— Não sabe mesmo, Miss Plenderleith?

— Eu já respondi todas as suas perguntas. Não sei o que mais posso fazer pelo senhor.

— Bem, em minha opinião a senhorita poderia fazer muito mais, desde que tivesse vontade.

— Mas não passa de uma opinião, não é, inspetor--chefe?

ASSASSINATO NO BECO   35

O rosto de Japp começou a dar alarmantes sinais de apoplexia.

— Eu acho — interrompeu Poirot, vivamente — que Mademoiselle perceberia melhor aonde você quer chegar com suas perguntas se você lhe dissesse como a situação está no momento.

— É simples — tornou Japp. — Os fatos são os seguintes, Miss Plenderleith: sua amiga foi encontrada com um tiro na cabeça, com uma pistola na mão, e tanto a porta quanto a janela, trancadas. Parecia um evidente caso de suicídio, *mas não era suicídio*. O simples exame médico-legal afasta essa hipótese.

— Como?

Toda a irônica tranquilidade de Miss Plenderleith desaparecera. Ela inclinou-se em direção a Japp, ouvindo suas palavras com ansiedade.

— A pistola estava em suas mãos, *mas ela não a estava segurando*. Além do mais, não havia *qualquer impressão digital*. E o ângulo de entrada da bala prova ser impossível que ela tenha disparado a arma. Mais ainda, ela não deixou carta ou bilhete... coisa muito estranha para uma suicida. E, embora a porta estivesse fechada, a chave não foi encontrada.

Jane Plenderleith virou-se vagarosamente e sentou-se em uma cadeira em frente a Japp.

— Então é isso! — exclamou. — Eu bem que achava *impossível* que Bárbara tivesse se suicidado. Eu estava certa! Ela *não se suicidou*. Alguém a matou.

Por alguns momentos, ela pareceu mergulhada em seus pensamentos. Voltando a si, ergueu a cabeça num gesto brusco.

— Estou à sua disposição para quaisquer perguntas, inspetor, e procurarei respondê-las da melhor maneira possível.

Japp começou:

— Alguém veio visitar Mrs. Allen ontem à noite. Um homem de seus 45 anos, aspecto de militar, bigode grande, bem-vestido e dirigindo um cupê Standard Swallow. Sabe quem é esse homem?

— Não posso responder com certeza, mas me parece ser o major Eustace.

— Quem é esse major Eustace? Diga-me tudo o que sabe dele.

— É um velho conhecido de Bárbara, do estrangeiro, da Índia. Ele reapareceu há cerca de um ano, e, desde então, o temos visto algumas vezes.

— Ele era amigo de Mrs. Allen?

— Parecia ser — respondeu Jane, secamente.

— Como ela o tratava?

— Eu não acho que ela gostasse muito dele. Na verdade, tenho certeza de que não gostava.

— Mas ela o tratava com amabilidade?

— Sim.

— Alguma vez ela deu a impressão de estar — pense bem, Miss Plenderleith — de estar com medo dele?

Jane Plenderleith pensou por um minuto ou dois antes de responder. E então disse:

— Sim, acho que ela tinha medo dele. Ela sempre ficava nervosa quando ele aparecia.

— Ele e Mr. Laverton-West se encontraram alguma vez?

— Acho que uma vez, mas não me pareceu terem simpatizado muito um com o outro. Ou, para ser mais clara, o major Eustace estava procurando ser agradável, mas Charles não estava querendo saber de conversa. Ele tem um ótimo faro para gente... gente que não é muito boa.

— E o major Eustace não é o que a senhorita chamaria gente boa? — perguntou Poirot.

Ela respondeu friamente:

— Não, não era. É um sujeito meio grosseirão. Definitivamente, não tem berço.

— Infelizmente não conheço essas expressões. Em outras palavras, não é o que os indianos chamariam um *pukka sahib*?

A sombra de um sorriso passou pelo rosto de Jane Plenderleith, mas sua resposta foi séria:

— Não.

— A senhorita se surpreenderia muito, Miss Plenderleith, se eu sugerisse que esse major Eustace estava chantageando Mrs. Allen?

Japp chegou-se mais perto para observar o efeito de suas palavras.

O resultado o deixou satisfeito. A moça estremeceu, seu rosto ficou vermelho e ela bateu com força no braço da cadeira.

— Então é isso. Que idiota eu fui de não ter percebido logo. É claro como água.

— A senhorita acha a sugestão plausível? — perguntou Poirot.

— Claro que sim. Bárbara vinha me pedindo dinheiro emprestado nos últimos seis meses, e diversas vezes a vi consultando sua caderneta de depósitos. Nunca me preocupei, pois sabia que tinha uma boa renda, mas, se estava sendo vítima de uma chantagem, então...

— E isso explicaria seu comportamento nos últimos tempos? — insistiu Poirot.

— Explicaria. Ela andava nervosa, agitada. Completamente diferente do que costumava ser.

Poirot disse brandamente:

— Perdão, mas não é o que a senhorita disse antes.

— Antes era diferente — respondeu Jane Plenderleith com impaciência. — Bárbara não estava deprimida, tenho certeza de que não andava pensando em suicídio. Mas chantagem... aí a coisa é outra. Gostaria que ela tivesse me contado. Eu o teria mandado para o inferno.

— Aí talvez ele fosse não ao inferno, mas a Mr. Charles Laverton-West — observou Poirot.

— Sim — disse Jane, vagarosamente. — Sim... é verdade.

— A senhorita não tem ideia do que ele estava usando para chantageá-la? — perguntou Japp.

38 AGATHA CHRISTIE

A moça balançou a cabeça.

— Não tenho a menor ideia. Mas, conhecendo Bárbara como eu conhecia, tenho certeza de que não podia ser algo muito sério. Por outro lado... — Ela se interrompeu, mas depois prosseguiu:

— O que eu quero dizer é que Bárbara era um pouco simplória. Seria fácil amedrontá-la. Na verdade, ela era o tipo de garota que seria um presente dos céus a um chantagista. Sujeito nojento!

Ela atirou o insulto com ódio na voz.

— Infelizmente — observou Poirot —, este crime parece ter acontecido ao contrário. Em geral, é a vítima quem mata o chantagista, não o chantagista a sua vítima.

Jane Plenderleith enrugou a testa.

— É verdade, mas, talvez, nas circunstâncias...

— Quais circunstâncias?

— Suponha que Bárbara estivesse desesperada. Ela pode tê-lo ameaçado com aquela pequena pistola. Ele tentou arrancá-la e, na luta, a arma disparou acidentalmente e a matou. Ele se assustou e procurou simular um suicídio.

— Talvez — observou Japp. — Mas há um pequeno problema.

Ela olhou-o interrogativamente.

— O major Eustace, se era ele mesmo, saiu daqui ontem às 22h20 e se despediu de Mrs. Allen na porta.

— Ah — o desapontamento era evidente no rosto da moça —, compreendo. — Ficou em silêncio por um minuto.

— Mas ele pode ter voltado — insistiu.

— Sim, é possível — disse Poirot.

— Diga-me, Miss Plenderleith, Mrs. Allen, em geral, recebia as visitas aqui ou no quarto?

— Não havia uma regra. Mas esta sala, quase sempre, era mais usada para nossos amigos comuns ou então apenas para os meus amigos. O senhor sabe, nossa combinação era de que Bárbara ficava com o quarto grande e o usava também como sala de visitas, enquanto eu tinha o quarto pequeno e ficava com o uso desta sala.

— Se o major Eustace tinha um encontro marcado ontem à noite, a senhorita acha que Mrs. Allen o receberia aqui ou em seu quarto?

— Acho que aqui, pois daria uma atmosfera menos íntima. Por outro lado, se ela quisesse fazer um cheque ou qualquer coisa assim, é bem possível que o tivesse levado a seu quarto. Não há canetas aqui.

Japp sacudiu a cabeça.

— Não há hipótese de que tenha escrito um cheque. Ela havia feito uma retirada de duzentas libras, e não encontramos nem sinal desse dinheiro na casa.

— E ela o deu àquele nojento? Oh, meu Deus, pobre Bárbara!

Poirot tossiu.

— Como a senhorita mesma disse, a não ser que tenha sido um acidente, parece estranho que ele tenha resolvido matar sua fonte de renda.

— Acidente? Não foi acidente. Ele perdeu a cabeça, viu tudo vermelho à sua frente e a matou.

— É o que a senhorita pensa que aconteceu?

— É — acrescentou ela com veemência. — Foi assassinato... assassinato.

Poirot falou com gravidade:

— Não direi que a senhorita está errada.

Japp perguntou:

— Que tipo de cigarro Mrs. Allen fumava?

— Ingleses, mas dos baratos. Há alguns naquela cigarreira.

Japp abriu o acessório, tirou um cigarro e guardou-o em seu bolso.

— E a senhorita? — perguntou Poirot.

— Os mesmos.

— A senhorita não fuma cigarros turcos?

— Nunca.

— Nem Mrs. Allen fumava?

40   AGATHA CHRISTIE

— Não. Ela não gostava.

— E Mr. Laverton-West? O que ele fuma?

Ela olhou-o com dureza.

— Charles? E que importa saber o que ele fuma? O senhor não vai querer dizer que *ele* a matou, vai?

Poirot sacudiu os ombros.

— Não seria a primeira vez que um homem mata a mulher que ama, Mademoiselle.

Jane sacudiu a cabeça com impaciência.

— Charles não mataria alguém. Ele é cuidadoso demais para isso.

— São os homens cuidadosos que cometem os crimes mais engenhosos, Mademoiselle.

Ela continuava a olhá-lo fixamente.

— Mas não pelo motivo que o senhor acaba de alegar, Monsieur Poirot.

Ele fez uma mesura.

— Não, é verdade.

— Bem, não creio que haja muito mais a fazer aqui. Mas gostaria de dar uma última olhadela na casa.

— Caso o dinheiro esteja escondido em algum lugar? Com o maior prazer. Procure onde quiser... e no meu quarto também. Mas não creio que Bárbara o escondesse lá.

A busca de Japp foi rápida, mas eficiente. A sala de visitas tomou-lhe apenas alguns minutos e, em seguida, passou ao andar de cima. Jane Plenderleith permaneceu sentada no braço de uma poltrona, fumando um cigarro e olhando pensativamente as chamas da lareira. Poirot a observava.

Alguns minutos mais tarde, ele disse calmamente:

— A senhorita sabe se Mr. Laverton-West encontra-se hoje em Londres?

— Não tenho a menor ideia, mas acho que é capaz dele estar em seu distrito, em Hampshire. Acho melhor mandar-lhe um telegrama, tinha me esquecido disso.

— Não é fácil lembrar-se de todos os detalhes, Mademoiselle, quando acontece uma tragédia. E as más notícias sempre correm demais. Nunca se deve ter muita pressa para dá-las.

— É mesmo — concordou a moça, com ar distraído.

Podiam-se ouvir já os passos de Japp descendo as escadas. Jane foi a seu encontro.

— E então?

Japp balançou a cabeça negativamente.

— Receio que não tenha encontrado algo, Miss Plenderleith. Procurei em toda parte, falta só este armário embaixo das escadas.

Enquanto falava, o inspetor-chefe segurou a maçaneta e a girou.

Jane Plenderleith disse:

— Está trancado.

Algo em sua voz fez os dois homens olharem-na com curiosidade.

— Sim — disse Japp em tom amável. Estou vendo que está trancado. Talvez a senhorita tenha a bondade de nos trazer a chave.

A moça estava imóvel, como que esculpida em pedra.

— Eu... eu não tenho certeza de onde está a chave.

Japp deu-lhe uma mirada rápida. Sua voz continuava amável, mas suas palavras eram precisas.

— Que azar, não é mesmo? Seria uma pena ter de arrombá-lo. Vou mandar Jameson trazer uma coleção de chaves da delegacia.

Ela se moveu afinal.

— Ah... espere um instante. Pode ser que eu...

Jane se dirigiu à sala de visitas e, depois de um tempo, reapareceu com uma grande chave na mão.

— Nós costumamos escondê-la — explicou — porque nossos guarda-chuvas viviam desaparecendo.

— Uma precaução elogiável — concordou Japp, pegando a chave de bom grado.

Ele a colocou na fechadura, girou-a e abriu a porta. O armário estava escuro, e Japp precisou usar uma lanterna.

42 AGATHA CHRISTIE

Poirot sentiu que a moça se tornava tensa e prendia a respiração. Seus olhos acompanhavam o facho da lanterna de Japp.

O armário estava quase vazio. Três guarda-chuvas, um dos quais quebrado, quatro bengalas, um jogo de tacos de golfe, duas raquetes de tênis, um tapete bem enrolado e diversas almofadas em melhor ou pior estado de conservação. Sobre estas últimas estava uma pequena valise.

Quando Japp se preparava para pegá-la, Jane Plenderleith disse rapidamente.

— É minha. Eu a trouxe comigo quando cheguei hoje de manhã. Está vazia.

— Vamos dar uma espiada só para nos certificarmos — Japp tinha um tom de amabilidade um pouco mais forçado na voz.

A valise estava destrancada. Dentro Japp encontrou escovas de camurça e pequenos vidros de perfume e loções. Havia ainda duas revistas, e nada mais.

Japp examinou tudo com grande atenção. Quando finalmente fechou a valise e passou adiante, a jovem soltou um bem audível suspiro de alívio.

Não havia algo de especial no resto do armário, e logo Japp deu suas investigações por encerradas. Trancou de novo a porta e entregou a chave a Jane Plenderleith.

— Bem — disse ele —, isso encerra nossos trabalhos. A senhorita pode me dar o endereço de Mr. Laverton-West?

— Farlescombe Hall, Little Ledbury, Hampshire.

— Obrigado, Miss Plenderleith. Por enquanto, é tudo, mas eu talvez tenha de voltar mais tarde. Por falar nisso, bico calado. Se alguém perguntar alguma coisa, diga que foi suicídio mesmo.

— Claro, compreendo.

— Que diabo havia naquele armário? Há *alguma coisa* lá.

— Sim, há *alguma coisa* — concordou Poirot.

— E aposto que é alguma coisa naquela valise. Mas, que nem um idiota, não consegui descobrir. Examinei o forro, olhei dentro dos vidros... que diabo poderia ser? Poirot sacudiu a cabeça pensativamente.

— Esta moça está implicada na história — continuou Japp. — Trouxe aquela valise hoje de manhã? Nunca na vida. Você reparou que dentro havia duas revistas?

— Reparei.

— Bem, uma delas *era do mês de julho*.

VII

No dia seguinte, Japp chegou ao apartamento de Poirot, bufando de raiva.

— Ela é *inocente*!

— Quem é inocente?

— Plenderleith. Ficou jogando bridge até a meia-noite. Tanto os anfitriões quanto um outro hóspede e dois criados confirmaram seu álibi. Não pode haver dúvida, temos de procurar em outro lugar. Mesmo assim, queria saber ainda por que ela ficou tão perturbada quando abrimos aquela valise. Este é um caso *para você*, Poirot. Você é quem gosta dessas trivialidades que não conduzem a qualquer coisa. "O mistério da valise do beco." Até que não soa mal.

— Eu sugeriria um título diferente. "O mistério do cheiro da fumaça de cigarro."

— Não soa tão bem. Mas por que cheiro? Era *por isso* que você estava fungando tanto enquanto examinava o cadáver? Pensei que você estivesse resfriado.

— Você se enganou.

— Sempre pensei que fossem apenas suas pequenas células cinzentas. Não me diga que as células de seu olfato são também superiores às dos outros seres humanos.

— Não, não são. Tranquilize-se.

— Eu não senti cheiro de cigarro — continuou Japp, com uma expressão desconfiada.

— Nem eu, meu caro.

Japp olhou-o com ar de dúvida e, finalmente, tirou um cigarro do bolso:

— Esta é a marca que Mrs. Allen fumava. Ingleses. Seis das pontas encontradas no cinzeiro eram dela. *As outras três eram de cigarros turcos.*

— Exatamente.

— Suponho que seu maravilhoso nariz tenha farejado isso sem precisar olhar o cinzeiro.

— Posso assegurar-lhe que meu nariz não tem algo a ver com o caso. Meu nariz não farejou cheiro algum.

— Mas as células cinzentas farejaram?

— Bem, havia um ou dois sinais indicativos... Você não concorda?

Japp olhou-o de soslaio.

— Que sinais?

— *Eh bien...* sem dúvida alguma faltava uma coisa naquele quarto. Por outro lado, havia algo a mais... E, na escrivaninha...

— Eu sabia! Sabia que você ia acabar falando naquela maldita pena de escrever.

— *Du tout.* A pena de escrever desempenha um papel meramente negativo.

Japp bateu em retirada para terreno mais seguro.

— Charles Laverton-West vai me encontrar na Scotland Yard dentro de meia hora. Pensei que você gostaria de estar presente.

— Gostaria mesmo.

— E saiba também que descobrimos onde está o major Eustace. Tem um pequeno apartamento na Cromwell Road.

— Ótimo.

— E acho que vamos ter de investigar muito a seu respeito. Minhas informações são de que ele é um tipo bastante suspeito. Depois de conversarmos com Laverton-West vamos vê-lo. De acordo?

— Perfeitamente.

— Então vamos.

Às 11h30, Charles Laverton-West foi levado à presença do inspetor-chefe, que se levantou para cumprimentá-lo. O deputado era um homem de estatura mediana e de aparente personalidade forte. Tinha o rosto bem barbeado, a boca expressiva de um ator e os olhos ligeiramente esbugalhados que se notam nos homens de talento oratório. Era, a seu jeito, um homem bem-apessoado, com modos discretos e bem-educados. Embora um pouco pálido e abalado, conduzia-se com distinção e serenidade.

Ele se sentou, pôs as luvas e o chapéu sobre a mesa e olhou para Japp.

— Em primeiro lugar, gostaria de lhe dizer, Mr. Laverton-West, que compreendo perfeitamente como tudo isso deve ser-lhe penoso.

Laverton-West afastou os pêsames com um gesto de mão.

— Deixemos meus sentimentos de lado. Diga-me, inspetor-chefe, o senhor tem alguma ideia do motivo que levou minha... Mrs. Allen a se matar?

— Estávamos contando com sua ajuda para descobrir.

— Não tenho a menor ideia.

— Vocês não brigaram? Não tiveram algum rompimento?

— Nada, absolutamente. O suicídio foi uma surpresa enorme para mim.

— Talvez as coisas se tornem mais fáceis de compreender, senhor, se eu lhe disser que não foi suicídio... mas assassinato.

— Assassinato? — os olhos de Charles Laverton-West quase lhe saltaram das órbitas. — O senhor disse *assassinato*?

— Exatamente. Agora, Mr. Laverton-West, o senhor tem alguma suspeita de quem poderia querer matar Mrs. Allen?

A resposta veio num jorro.

— Não, não, nenhuma. A simples ideia é revoltante.

— Ela nunca lhe falou de nenhum inimigo? Alguém que tivesse algum ressentimento contra ela?

— Nunca.

— O senhor sabia que ela tinha uma pistola?

— Não tinha a menor ideia.

— Miss Plenderleith diz que Mrs. Allen trouxe essa arma com ela quando regressou do estrangeiro, há alguns anos.

— Isso para mim é novidade.

— É claro que só temos a palavra de Miss Plenderleith nesse sentido. É bem possível que Mrs. Allen conservasse a pistola por se sentir sob alguma ameaça.

Charles Laverton-West balançava a cabeça com ar de dúvida. Seu aspecto era de um homem perplexo e aturdido.

— O que o senhor acha de Miss Plenderleith, Mr. Laverton-West? Quero dizer, ela lhe parece uma moça de confiança?

Laverton-West pensou por um momento.

— Sim, acho que sim... acho que sim.

— O senhor não gosta muito dela, não? — insinuou Japp, que tinha estado a observá-lo com atenção.

— Não diria assim. Ela não é do tipo que mais admiro... é muito sarcástica, muito independente. Mas eu diria que é uma moça de confiança.

— Compreendo — disse Japp. — O senhor conhece um tal major Eustace?

— Eustace? Eustace? Ah, sim, lembro-me do nome. Encontrei-o uma vez em casa de Bárbara, quero dizer, Mrs. Allen. Não fui muito com seu jeito e disse isso a minha... a Mrs. Allen. Ele não era o tipo de pessoa que gostaria de ver em nossa casa depois que casássemos.

— E o que disse Mrs. Allen?

— Ela concordou logo, pois confiava muito em meu julgamento. Um homem conhece os outros melhor que as mulheres. Ela me explicou que não queria ser grosseira com um conhecido que não via há tempos... Acho que tinha medo de passar por *esnobe*. É natural que, depois de casada, ela achasse alguns de seus velhos conhecidos um pouco, digamos assim, inadequados.

— O senhor quer dizer que, casando-se com o senhor, ela estava subindo de posição social? — perguntou Japp, sem meias palavras.

Laverton-West ergueu suas mãos bem cuidadas.

— Não, não, não precisamente. Na realidade, Mrs. Allen e eu éramos parentes, embora distantes, mas nossa posição social era absolutamente a mesma. É claro, porém, que, como deputado, tenho de ser muito cuidadoso na escolha de meus amigos, e minha mulher também. Um parlamentar está sempre em grande evidência.

— Não há dúvida — admitiu Japp friamente, prosseguindo:

— O senhor então não sabe de qualquer coisa que possa nos ajudar?

— Não, nada. Bárbara... assassinada! Parece incrível!

— Agora, Mr. Laverton-West, o senhor poderia dizer-nos o que fez na noite de 5 de novembro?

— O que eu fiz? O que quer o senhor dizer com isso?

A voz de Laverton-West mostrava sua indignação.

— É apenas uma questão de rotina — explicou Japp.

— Nós... nós temos de perguntar a todo o mundo.

Charles Laverton-West olhou-o com ar de dignidade ultrajada.

— Pensei que um homem na minha posição pudesse ser dispensado.

Japp limitou-se a esperar.

— Eu... deixe-me ver. Ah, sim. Eu estava na Câmara. Saí às 22h30 e fui dar um longo passeio à margem do Tâmisa, olhando os fogos de artifício.

— É reconfortante saber que hoje em dia não há conspirações para explodir o Parlamento — observou Japp alegremente.

Laverton-West limitou-se a lançar-lhe um olhar gelado.

— E depois fui para casa. A pé.

48 AGATHA CHRISTIE

— O senhor mora na Onslow Square, não? A que horas o senhor chegou lá?

— Difícil dizer com certeza.

— Que tal 23 horas, 23h30?

— Mais ou menos por aí.

— Alguém abriu a porta para o senhor?

— Não, tenho minha própria chave.

— Encontrou-se com alguém enquanto caminhava?

— Não. Francamente, inspetor-chefe, suas perguntas chegam a ser ofensivas!

— Posso garantir-lhe que é uma simples questão de rotina, Mr. Laverton-West. Nada pessoal.

A resposta pareceu acalmar um pouco o irritado deputado.

— Se isso é tudo...

— É tudo por enquanto, Mr. Laverton-West.

— Por favor, mantenha-me informado.

— Com todo prazer. Por falar nisso, deixe-me apresentar-lhe Monsieur Hercule Poirot. O senhor talvez tenha ouvido falar dele.

Mr. Laverton-West fixou um olhar curioso no pequenino belga.

— Sim, sim... já ouvi o nome.

— Monsieur — começou Hercule Poirot, subitamente com modos de estrangeiro. — Queira receber meus mais profundos sentimentos por sua grande perda. Seu sofrimento deve ser enorme! Mas não quero me alongar no assunto. Os ingleses sabem esconder suas emoções maravilhosamente.

Dizendo isso, Poirot puxou de sua cigarreira:

— Permita-me oferecer-lhe um... Oh, está vazia. Japp?

Japp deu uma busca rápida em seus bolsos e balançou a cabeça negativamente.

Laverton-West então tirou de sua própria cigarreira, murmurando:

— Aceite um dos meus, Monsieur Poirot.

— Obrigado, obrigado.

Assassinato no beco 49

— Como o senhor ia dizendo, Monsieur Poirot, nós ingleses não colocamos nossas emoções numa vitrine. Aguentar firme, eis nosso lema.

Fez uma mesura e saiu.

— Bastante pretensioso — comentou Japp. — Miss Plenderleith tinha razão a seu respeito. Só uma moça sem muito senso de humor cairia por um tipo assim. Que tal o cigarro que ele lhe deu?

Poirot mostrou-o, sacudindo a cabeça.

— Egípcio, e dos caros.

— É uma pena, pois nunca ouvi um álibi menos consistente. Na verdade, nem chegava a ser um álibi. Você sabe, Poirot, é pena que a história não seja um pouco diferente. Suponha que Mrs. Allen o estivesse chantageando. Ele é o tipo ideal para uma chantagem... Faria tudo para evitar um escândalo.

— Meu amigo, pode ser muito agradável recriar um caso da maneira que lhe parece mais conveniente, mas temos coisas mais importantes a fazer.

— Sim, temos de interrogar Eustace. Já andei reunindo informações sobre ele e me parece um tipo meio repugnante.

— Por falar nisso, você fez aquilo que eu sugeri a propósito de Miss Plenderleith?

— Fiz, mas espere um segundo. Vou telefonar e saber das últimas notícias.

Depois de um rápido telefonema, Japp virou-se para Poirot.

— É incrível a insensibilidade de certas pessoas. Miss Plenderleith foi jogar golfe. Bonita coisa para se fazer quando sua melhor amiga acaba de ser assassinada.

Poirot deu um grito.

— Que foi? — perguntou Japp.

Mas Poirot limitava-se a murmurar consigo mesmo:

— É claro, é claro... é evidente... Que imbecil eu fui! Claro, a verdade salta aos olhos.

Japp estava impaciente:

— Pare de resmungar e vamos interrogar Eustace.

50 AGATHA CHRISTIE

Sua surpresa aumentou ao ver um sorriso radiante espalhar-se no rosto de Poirot.

— Com muito prazer, vamos interrogá-lo. Porque agora, você compreende, eu já sei de tudo. De tudo.

VIII

O major Eustace recebeu-os com a tranquila confiança de um profundo conhecedor das coisas do mundo.

Seu apartamento era pequeno, apenas um alojamento provisório, explicou. Ofereceu uma bebida a seus visitantes e, tendo eles recusado, abriu sua cigarreira.

Tanto Japp quanto Poirot aceitaram de imediato, trocando rapidamente um olhar.

— Vejo que o senhor gosta de cigarros turcos — disse Japp enquanto rolava o cigarro entre os dedos.

— Sim. O senhor prefere nacionais? Devo ter alguns por aqui.

— Não, não, este está muito bom.

Então, Japp inclinou-se, mudando de tom:

— O senhor sabe por que viemos procurá-lo?

O major Eustace fez que não com a cabeça. Seu aspecto era imperturbável. Era um homem alto e até atraente, mas seus modos não ocultavam uma certa vulgaridade. Seus olhos pequenos e astutos estavam um pouco inchados e, de certa forma, traíam a cordialidade de suas palavras.

Ele respondeu.

— Não, não tenho ideia do que possa trazer à minha presença alguém tão importante quanto um inspetor-chefe. Algo de errado com meu carro?

— Não, não é o seu carro que me preocupa. Acho que o senhor conheceu uma Mrs. Bárbara Allen, não, major Eustace?

O major resfolegou, refestelou-se mais na poltrona, expeliu uma baforada de fumaça e respondeu, com um tom de alívio na voz:

— Ah, então é isso. Claro, eu devia ter adivinhado logo. Que tragédia, hein?

— O senhor sabe o que aconteceu?

— Li nos jornais. Lamentável.

— Creio que o senhor e Mrs. Allen se conheceram na Índia.

— É verdade. Há alguns anos.

— O senhor também conheceu o marido?

Houve uma pequena pausa. Uma mera fração de segundo, mas os pequenos olhos matreiros tiveram tempo para estudar rapidamente os dois homens à frente. Finalmente, ele respondeu:

— Não, para falar a verdade nunca fui apresentado a Allen.

— Mas o senhor o conhecia, ou sabia a seu respeito.

— Ouvi dizer que não tinha muito boa fama. Mas apenas rumores, o senhor compreende...

— Mrs. Allen nunca comentou coisa alguma a respeito?

— Nunca me falou dele.

— O senhor e Mrs. Allen eram amigos íntimos?

O major Eustace deu de ombros.

— Tudo que posso dizer-lhe é que éramos velhos amigos. Mas não nos víamos com muita frequência.

— Mas o senhor esteve com ela na noite de sua morte? Na noite de 5 de novembro?

— Sim, estive.

— O senhor foi à sua casa, creio.

— Sim, ela tinha pedido minha opinião a propósito de uns investimentos que pensava fazer. Percebo aonde o senhor quer chegar. O senhor quer me perguntar qual o estado de espírito de Mrs. Allen. Bem, é difícil de explicar. Seus modos pareciam normais, mas, ao mesmo tempo, estava um pouco sobressaltada.

— Mas ela não lhe deu a menor indicação do que pretendia fazer?

— Não, nenhuma. Na verdade, quando me despedi, disse-lhe que lhe telefonaria em breve para irmos a um teatro, e ela concordou.

— O senhor lhe disse que lhe telefonaria. Essas foram suas últimas palavras?

— Sim.

— É curioso. Tenho informações de que o senhor disse algo completamente diferente.

Eustace ficou vermelho.

— Bem, não posso ter certeza de quais foram exatamente minhas palavras.

— A informação que eu tenho foi de que o senhor disse: "Pense bem e me dê uma resposta".

— Deixe-me ver. Sim, sim. Mas as palavras também não foram exatamente essas. Eu estava sugerindo que ela me avisasse quando estivesse disponível.

— Bem diferente do que o senhor me disse primeiro, não? — perguntou Japp.

O major Eustace deu de ombros.

— Meu caro, o senhor não pode exigir que alguém se lembre com precisão das palavras que disse há dois dias.

— E qual foi a resposta de Mrs. Allen?

— Disse-me que me telefonaria. Ou, pelo menos, é do que me lembro.

— E o senhor disse: "Então está bem. Até breve"

— Provavelmente. Algo mais ou menos assim.

— O senhor diz que Mrs. Allen pediu-lhe sua opinião a propósito de uns investimentos. *Por acaso ela lhe confiou a quantia de duzentas libras para aplicar em nome dela?*

O rosto de Eustace tornou-se convulso. Ele se chegou mais à frente e rosnou:

— Que diabo o senhor está querendo insinuar?

— Ela lhe deu o dinheiro ou não?

— Não é de sua conta, inspetor-chefe.

— Mrs. Allen fizera uma retirada de duzentas libras naquele dia, a maior parte delas em notas de cinco libras. Essas notas são numeradas, como o senhor sabe.

— E que tem de mais se Mrs. Allen me deu o dinheiro?

— Era um investimento, major Eustace, ou era uma chantagem?

— Esta ideia é absurda. O que mais o senhor tem a insinuar?

Japp respondeu, em seu tom mais burocrático:

— Acho, major Eustace, que a essa altura preciso convidá-lo a vir comigo à Scotland Yard para prestar suas declarações por escrito. O senhor tem evidentemente liberdade de se recusar e tem o direito de exigir a presença de seu advogado.

— Advogado? Para que diabo eu preciso de um advogado? E para que o senhor quer minhas declarações?

— Para minhas investigações sobre as circunstâncias da morte de Mrs. Allen.

— Deus do céu, o senhor não está pensando... É um absurdo. Olhe aqui, o que se passou foi o seguinte. Eu tinha um encontro marcado com Bárbara...

— A que horas?

— Às 21h30, mas eu cheguei um pouco depois. Nós nos sentamos e conversamos...

— E fumaram?

— Sim, e fumamos. Algo de errado nisso? — quis saber o major, em tom beligerante.

— E onde foi essa conversa?

— Na sala de visitas. À esquerda de quem entra. Nossa conversa foi bastante amistosa. Saí pouco antes das 22h30. Na porta, parei para algumas últimas palavras...

— Últimas palavras... realmente — murmurou Poirot.

— E *quem* é o senhor, afinal de contas? — perguntou Eustace, virando-se para ele. — Algum maldito estrangeiro. Por que o senhor tem de se intrometer?

— Eu sou Hercule Poirot — explicou o homenzinho, com dignidade.

— Pouco me importa se o senhor é a própria estátua de Aquiles. Como eu ia dizendo, Bárbara e eu nos despedimos amistosamente, e fui de carro ao Clube do Extremo Oriente. Cheguei lá às 22h35 e fui à sala de jogos. Fiquei lá jogando bridge até 1h30. E agora, o que o senhor tem a dizer?

— Parece-me um bom *álibi* — concordou Poirot.

54 AGATHA CHRISTIE

— Bom, não, excelente. E o senhor, inspetor-chefe, está satisfeito?

— O senhor ficou o tempo todo na sala de visitas?

— Sim.

— O senhor não esteve em momento algum no quarto de Mrs. Allen?

— Não, posso garantir-lhe. Permanecemos o tempo todo na sala, e nenhum de nós saiu dela em momento algum.

Japp encarou-o pensativamente por um minuto ou dois. Finalmente perguntou:

— Quantos jogos de abotoaduras o senhor tem?

— Abotoaduras? O que é que as abotoaduras têm a ver com nossa conversa?

— O senhor tem o direito de não responder, se quiser.

— Responder? Não me importo de responder, pois não tenho qualquer coisa a esconder. E, quando isso estiver terminado, vou exigir um pedido de desculpas. Tenho estas — respondeu Eustace, estendendo os punhos.

Japp examinou-as rapidamente.

— E estas. — Eustace levantou-se, abriu uma gaveta e, em seguida, pegou uma pequena caixa, estendendo-a bruscamente na direção de Japp.

— Muito bonitas — observou o inspetor-chefe. — Vejo que uma está quebrada, falta uma pequena lasca.

— E daí?

— O senhor não se lembra quando isso aconteceu?

— Há um dia ou dois, não mais.

— O senhor se surpreenderia se eu lhe dissesse *que foi na casa de Mrs. Allen*?

— E por que iria me surpreender? Não nego que tenha estado lá. — As palavras do major vinham cheias de arrogância. Ele continuava a vociferar, a desempenhar o papel do homem justamente indignado, mas suas mãos tremiam.

Japp inclinou-se e colocou ênfase em suas palavras:

— Aquele pedaço de abotoadura *não foi encontrado na sala*. Foi encontrado no *andar de cima*, no quarto de Mrs. Allen, no mesmo quarto em que ela foi assassinada, no mesmo quarto em que esteve um homem fumando a *mesma marca de cigarros que o senhor fuma*.

O efeito foi imediato. O major Eustace deixou-se cair em sua cadeira, olhando assustado de um lado para o outro. O fanfarrão transformou-se num covarde em poucos segundos, e o espetáculo não era bonito de se ver.

— O senhor não pode me acusar de coisa alguma... O senhor está procurando me armar uma cilada. Mas vocês não podem fazer isso. Tenho um álibi. Posso provar que não voltei mais àquela casa...

Poirot o interrompeu:

— Não, o senhor não voltou àquela casa... *O senhor não precisava voltar...* pois talvez Mrs. Allen *já estivesse morta quando o senhor saiu.*

— É impossível, impossível. Ela veio à porta e até falou comigo. Alguém deve tê-la ouvido, ou visto...

Poirot prosseguiu em tom suave:

— Há testemunhas que ouviram o senhor falar com ela... e fingindo esperar por sua resposta antes de falar outra vez... Esse é um velho truque... As pessoas foram levadas a pensar que ela estava lá, mas ninguém a viu, pois ninguém soube ao menos dizer se ela estava vestida para sair ou não... nem ao menos dizer a cor de sua roupa...

— Meu Deus, não é verdade... não é verdade.

— Tenho de pedir a você que me acompanhe — falou Japp.

— Estou preso?

— Digamos que está detido para averiguações.

O silêncio foi quebrado por um suspiro longo e trêmulo. Com uma voz sumida, o até então vociferante major Eustace disse:

— Estou acabado...

Hercule Poirot esfregou as mãos e sorriu. Parecia estar se divertindo imensamente.

IX

Pouco depois, naquele mesmo dia, Japp e Poirot seguiam de carro pela Brompton Road.

— Nosso amigo desabou que foi uma beleza — comentou Japp.

— Ele sabia que a brincadeira tinha acabado — respondeu Poirot com ar distraído.

— Temos muitas provas contra ele — disse Japp. — Dois ou três nomes falsos, um cheque fraudulento e uma história complicada numa ocasião em que se hospedou no Ritz, fazendo-se passar por um coronel de Bathe. Além disso, passou o conto do vigário em meia dúzia de comerciantes em Piccadilly. Nós o prendemos sob essa acusação, enquanto concluímos nossas investigações sobre o assassinato de Mrs. Allen. Mas por que você cismou de fazer essa viagem aos arredores de Londres, meu caro?

— Meu amigo, um caso tem de ter um encerramento apropriado. Todos os detalhes precisam ser explicados. Estou procurando resolver o mistério que você mesmo sugeriu. "O mistério da valise desaparecida."

— O que eu disse foi "O mistério da valise do beco". Que eu saiba ela não está desaparecida.

— Tenha paciência, *mon ami*.

O carro entrou no beco. À porta do número 14, Jane Plenderleith acabava de saltar de um pequeno Austin Seven, usando roupas de jogar golfe.

Ela olhou primeiro para Japp, depois para Poirot, e finalmente tirou uma chave da bolsa, abrindo a porta.

— Entrem, por favor.

Ela abriu caminho. Japp seguiu-a, entrando na sala de visitas, mas Poirot permaneceu ainda alguns instantes no hall, murmurando consigo mesmo:

— *C'est embêtant*, muito difícil tirar estes sobretudos. Pouco depois, ele também entrou na sala de visitas, já sem o sobretudo, mas Japp o encarava com expressão curiosa. O inspetor-chefe ouvira o rangido muito ligeiro da porta do armário ao ser aberta.

Japp dirigiu-lhe um olhar interrogativo, e Poirot respondeu-lhe com um imperceptível aceno.

— Não pretendemos nos demorar, Miss Plenderleith — começou Japp, vivamente. — Só viemos perguntar se a senhorita poderia nos dar o nome do advogado de Mrs. Allen.

— Seu advogado? — a jovem sacudiu a cabeça. — Nem sabia que ela tinha advogado.

— Bem, quando ela alugou esta casa com a senhorita, alguém deve ter redigido o contrato, não?

— Não, não foi assim. Quem alugou a casa fui eu, ela está em meu nome. Bárbara simplesmente me pagava metade do valor. Não achamos necessário fazer um contrato.

— Compreendo. Então nada feito.

— Sinto não poder ajudá-los — disse Jane cortesmente.

— Não tem importância — respondeu Japp, encaminhando-se em direção à porta. — A senhorita tem jogado golfe ultimamente?

— Sim — ela ruborizou. — Parece insensibilidade de minha parte, mas preciso fazer alguma coisa para fugir desta casa, porque ela me deprime. Preciso sair e fazer algum exercício, cansar-me, pois senão esta casa me esmaga.

Sua voz vinha carregada de intensidade. Poirot interrompeu-a:

— Compreendo, Mademoiselle. É muito natural. Ficar aqui sentada, pensando... não, não seria agradável.

— Estimo que o senhor compreenda — retrucou Jane, um pouco secamente.

— A senhorita pertence a algum clube?

— Sim, em Wentworth.

— O dia de hoje foi bonito — continuou Poirot.

— Mas, infelizmente, as árvores estão quase todas desfolhadas. Na semana passada, elas ainda estavam verdes.

— Mas o dia foi bonito — insistiu Poirot.

— Boa tarde, Miss Plenderleith — cumprimentou Japp, em tom formal. — Eu a avisarei de qualquer novidade. Na verdade, já prendemos um homem como suspeito.

— Quem? — perguntou Jane Plenderleith, ansiosa.

— O major Eustace.

Ela assentiu com a cabeça e deu-lhes as costas, abaixando-se para acender a lareira.

— E então? — perguntou Japp a Poirot, quando o carro em que iam saiu do beco.

Poirot sorriu.

— Foi simples. A chave estava na porta.

— E...?

— *Eh bien,* os tacos de golfe tinham desaparecido...

— Claro. Esta moça pode ser o que for, mas não é tola. *Algo mais tinha desaparecido?*

Poirot inclinou a cabeça.

— Sim, meu amigo. A *pequena valise.*

— Maldição! — exclamou. — Eu sabia que havia algo de estranho. — Mas que diabo será? Examinei aquela valise cuidadosamente.

— Mas, meu caro Japp, o caso é tão... — como dizem os ingleses? — elementar, meu caro Watson.

Japp deu-lhe um olhar exasperado.

— Aonde estamos indo? — perguntou.

— Ainda não são 16 horas. Dá para irmos a Wentworth antes de escurecer.

— Você acha que ela foi lá mesmo?

— Acho que sim. Ela devia saber que íamos pedir informações. Tenho certeza de que vamos descobrir que ela realmente esteve em Wentworth.

Japp rosnou, enquanto dirigia habilmente entre o trânsito intenso:

— O que não consigo imaginar é o que essa maldita valise tem a ver com o crime. Na minha opinião, nada.

— Concordo inteiramente com você, meu amigo. A valise e a morte de Mrs. Allen não têm a ver uma com a outra.

— Mas então por quê... Não, não me diga, já sei. "É preciso elucidar todos os detalhes com ordem e método." Enfim, a tarde está agradável para um passeio.

Japp dirigia velozmente, e eles chegaram a Wentworth pouco depois das 16h30, mesmo porque, na estrada o trânsito era pouco intenso.

Poirot foi direto ao chefe dos *caddies* e pediu-lhe os tacos de Miss Plenderleith, explicando que ela precisava deles para jogar num outro clube no dia seguinte.

O chefe dos *caddies* chamou um pequeno rapaz, que se dirigiu a um canto onde estavam diversos tacos e, finalmente, localizou uma bolsa com as iniciais J.P.

— Obrigado — disse Poirot, e, depois de andar alguns passos, como quem se lembrasse de algo: — Ela por acaso não deixou aqui também uma pequena valise?

— Hoje não, senhor. Mas talvez a tenha deixado na sede.

— Ela esteve aqui hoje?

— Esteve, eu a vi.

— Qual foi o *caddie* que trabalhou com ela? Ela diz que perdeu uma pequena valise, mas não sabe onde.

— Hoje ela não levou *caddie*. Apenas comprou algumas bolas e levou alguns tacos. Mas tenho quase certeza de que vi uma pequena valise com ela.

Poirot afastou-se, depois de agradecer. Os dois homens passearam um pouco pelo gramado, dando a volta até a sede, e Poirot deteve-se um instante para admirar a paisagem.

— Uma beleza de vista, não? Os pinheiros, o lago. Sim, o lago...

Japp deu-lhe uma olhadela rápida.

— Então é isso?

— É bem possível que alguém tenha visto alguma coisa. Se eu fosse você, começaria a investigar.

X

Poirot deu um passo atrás e examinou a arrumação do quarto. "Melhor chegar aquela cadeira para a direita e esta um pouco para cá. Sim, estava ótimo." A campainha tocou — "devia ser Japp".

O inspetor da Scotland Yard entrou rapidamente.

— Você estava certo, meu velho. Tudo como você previu. Uma jovem foi vista ontem em Wentworth atirando algo no lago e as descrições coincidem com a de Jane Plenderleith. Conseguimos achar o objeto sem maiores dificuldades, pois o local é raso. Ele estava preso em uns caniços.

— E o que era?

— Era a valise, sem tirar nem pôr. Mas *por quê*, pelo amor de Deus? Não consigo compreender. Estava completamente vazia — não tinha sequer as revistas. Por que uma jovem mentalmente sã haveria de jogar fora uma valise cara em um lago? Não consegui dormir a noite toda, tentando descobrir a razão.

— *Mon pauvre Japp*. Não precisa se preocupar mais. A resposta está a caminho. A campainha acabou de tocar.

George, o sóbrio criado de Poirot, abriu a porta e anunciou:

— Miss Plenderleith.

A moça entrou com seu habitual ar de autoconfiança e cumprimentou os dois homens.

— Eu lhe pedi que viesse — começou Poirot, enquanto fazia a moça ocupar uma das cadeiras, indicando a outra a Japp — porque tenho algumas novidades a lhe contar.

A moça sentou-se, tirando o chapéu e colocando-o a seu lado com impaciência.

— Bem — disse ela —, o major Eustace já foi preso.

— A senhorita leu isso nos matutinos de hoje, não?

— Sim.

— No momento, ele é acusado apenas de um delito sem muita gravidade. Enquanto isso, continuamos nossas investigações a respeito do assassinato.

— Então foi assassinato, sem dúvida alguma? — perguntou a moça, com ansiedade.

Poirot assentiu.

— Sim. Assassinato. A destruição proposital de um ser humano por outro ser humano.

Ela estremeceu.

— Parece horrível quando o senhor diz desse jeito.

— Sim... e é horrível.

— Agora, Miss Plenderleith, vou dizer-lhe como descobri a verdade nesse caso.

Ela olhou para Poirot e depois para Japp. Este sorria.

— Ele tem seus próprios métodos, Miss Plenderleith — disse o inspetor —, e eu procuro não aborrecê-lo. Acho melhor ouvirmos o que ele tem a dizer.

Poirot começou:

— Como a senhorita sabe, cheguei ao local do crime com o inspetor-chefe Japp na manhã do dia 6 de novembro. Fomos ao quarto onde o corpo de Mrs. Allen estava, e notei de imediato diversos detalhes significativos. Havia coisas naquele quarto decididamente estranhas demais.

— Prossiga — disse a moça.

— Para começo de conversa — observou Poirot —, havia o cheiro de cigarro.

— Acho que você está exagerando — interrompeu Japp. — Eu não senti cheiro algum.

Poirot voltou-se rapidamente para ele.

— Exatamente. *Você não sentiu cheiro algum de cigarro. Nem eu.* E isso era muito, muito estranho, pois tanto a porta quanto a janela estavam trancadas e havia pelo menos dez pontas de cigarro no cinzeiro. Muito estranho mesmo que a atmosfera no quarto estivesse, digamos assim, tão pura.

— Então é isso o que você queria dizer — suspirou Japp. — Você sempre escreve por linhas tortas.

— O grande detetive inglês Sherlock Holmes fazia o mesmo. Lembre-se de que ele chamou a atenção para o curioso incidente com o cachorro de noite... e a resposta era, claro, que não houve incidente algum. O cachorro não fez qualquer coisa à noite. Mas continuemos. O segundo detalhe a atrair minha atenção foi o relógio que a morta usava.

— O que havia com ele?

— Com ele, particularmente, nada, mas a morta o usava no braço direito. Ora, as pessoas em geral usam relógio no braço esquerdo.

Japp deu de ombros, mas antes que ele pudesse dizer alguma coisa, Poirot continuou:

— Mas, como você diz, isso não prova coisa alguma. Há quem *prefira* usar o relógio no pulso direito. E agora chegamos a um ponto muito interessante. Chegamos agora, meus amigos, à escrivaninha.

— Já esperava por isso — suspirou Japp.

— A escrivaninha era extremamente interessante, por dois motivos. Em primeiro lugar, algo estava faltando nela.

Jane Plenderleith falou:

— E o que faltava nela?

— *Uma folha de mata-borrão, Mademoiselle.* A folha no mata-borrão estava imaculadamente limpa.

Jane não ocultou o desdém em suas palavras.

— Francamente, Monsieur Poirot, as pessoas de vez em quando jogam fora a folha usada.

— Sim, mas onde? Na cesta de papéis, não? Mas não estava na cesta de papéis, e eu sei porque olhei.

Jane parecia impaciente.

— Provavelmente porque fora jogada na véspera. O mata-borrão estava limpo porque Bárbara não tinha escrito cartas naquele dia.

— Sua hipótese é altamente duvidosa, Mademoiselle, *pois Mrs. Allen foi vista a caminho da caixa do correio naquela tardinha e, portanto, deve ter escrito cartas.* Ela não poderia tê-las escrito na sala de visitas, pois lá não havia qualquer material apropriado. Dificilmente teria ido ao seu quarto para escrevê-las. Então, o que aconteceu à folha de mata-borrão com que ela secou a carta? É verdade que, algumas vezes, as pessoas atiram papéis à lareira, e não à cesta, mas a lareira no quarto de Mrs. Allen, era a gás. *E a lareira na sala de visitas não tinha sido acesa na véspera, pois a senhorita me disse que ela estava preparada com lenha nova e que a senhorita só teve o trabalho de riscar o fósforo.*

Ele fez uma pequena pausa.

— Um problema realmente curioso. Olhei por toda parte: na cesta de papéis, na lata do lixo, mas não consegui achar uma folha de mata-borrão velha, e o detalhe me parecia altamente importante. Era como se alguém tivesse removido o mata-borrão propositadamente. Por quê? Porque havia nele algo que poderia ser lido diante de um espelho.

— Mas havia outro ponto realmente interessante acerca da escrivaninha — prosseguiu Poirot. — Japp, você lembra mais ou menos como as coisas estavam arranjadas sobre ela? O mata-borrão e o tinteiro no centro, o descanso para as canetas à esquerda, o calendário e a pena de escrever à direita. *Eh bien?* Não percebe aonde quero chegar? Examinei a pena de pássaro, lembre-se, e ela era apenas para enfeite. Não era para ser usada. Será que você ainda não percebeu? Vou repetir. Mata-borrão no centro, canetas à esquerda — *à esquerda,* Japp. Mas não é mais comum encontrarem-se as canetas *à direita,* ao alcance da mão *direita?* Agora você começa a perceber, não? As canetas à esquerda, o relógio no pulso direito, o mata-borrão desaparecido... e algo trazido propositadamente para o quarto: o cinzeiro com os restos de cigarro. Aquele quarto tinha o ar puro, Japp. Era um quarto cuja janela tinha permanecido aberta durante a noite. E eu pude então começar a juntar as diferentes peças.

Ele se virou e encarou Jane.

— E o que me veio à mente foi a senhorita, chegando de táxi, pagando e subindo as escadas, ligeira, talvez chamando Bárbara... apenas para abrir a porta e encontrar sua amiga morta com o revólver na mão. Na mão esquerda, naturalmente, *pois ela era canhota* — e por isso é que a bala entrou no *lado esquerdo de sua cabeça.* Há um bilhete dirigido à senhorita, explicando-lhe o que tinha levado sua amiga ao suicídio. Deve ter sido um bilhete extremamente comovente... uma moça jovem, amável e infeliz, levada à morte por uma chantagem... Posso deduzir que uma ideia lhe passou instantaneamente pela cabeça. Aquilo era consequência da ação de um homem — e esse homem merecia ser punido. A senhorita então pega o revólver, limpa-o e coloca-o na mão direita da morta. Rasga o bilhete e também a folha de mata-borrão usada para secá-lo. Em seguida, desce e atira os pedaços na lareira. Depois, leva o cinzeiro para o quarto de cima, para dar a ilusão de que os dois tinham estado a conversar naquele aposento, e, para dar um toque ainda maior de verossimilhança, leva também um pedaço de abotoadura que encontrou no chão. Essa foi uma descoberta feliz, e a senhorita calcula que servirá para incriminar definitivamente o chantagista. A seguir, a senhorita fecha a janela e tranca a porta, pois não quer que suspeitem que a senhorita tenha entrado lá. E chama imediatamente a polícia, pois deseja menos ainda que alguém no beco estrague o cenário tão cuidadosamente arranjado.

— E assim por diante — prosseguiu Poirot. — A senhorita desempenha seu papel com perfeição e sangue-frio. A princípio, recusa-se a dizer qualquer coisa, mas lança pequenas dúvidas sobre o suicídio. Mais tarde, está disposta abertamente a pôr-nos na trilha do major Eustace. Sim, senhorita, foi um assassinato muito inteligente. Ou, melhor dizendo, uma tentativa de assassinato. Pois estou falando da tentativa de assassinato do major Eustace.

Jane Plenderleith levantou-se de súbito.

— Não foi tentativa de assassinato. Foi justiça. Aquele homem levou Bárbara ao suicídio. Ela era tão indefesa e tão boazinha. O senhor compreende, ela teve um romance com um homem na Índia, com apenas 17 anos. Ele era casado e muito mais velho. Então ela ficou grávida, teve um filho. Poderia tê-lo posto num orfanato, mas ela mesma preferiu criá-lo. Ela partiu numa viagem longa e voltou dizendo chamar-se senhora Allen. Mais tarde, a criança morre, ela volta à Inglaterra e se apaixona por Charles — aquele pedante. Ela o adorava; ele simplesmente aceitava sua devoção. Se Charles fosse um homem diferente, eu teria aconselhado Bárbara a contar-lhe tudo. Mas, sendo ele como era, aconselhei-a a ficar quieta. Afinal, eu era a única pessoa que sabia daquela história em seu passado. E então aquele demônio Eustace apareceu... O resto o senhor sabe. Ele passou a chantageá-la, mas foi apenas naquela última noite que ela percebeu o escândalo a que também estava expondo Charles. Depois de casados, Eustace a teria onde mais a desejava: mulher de um homem rico, com horror a escândalos. Quando Eustace saiu, ela ficou pensando, desesperada. Então subiu e me escreveu uma carta, dizendo-me que amava Charles e não podia viver sem ele, mas que, para o próprio bem dele, ela não podia casar-se com ele. Optou então pelo que ela achava a melhor saída.

Jane atirou a cabeça para trás.

— O senhor se admira de que eu tenha feito o que fiz? E o senhor ainda tem a coragem de chamar isso de *assassinato*?

— Mas é assassinato — respondeu Poirot, em voz severa. — O assassinato pode parecer justificado algumas vezes, *mas não deixa de ser assassinato*. A senhorita é inteligente... encare a verdade. Sua amiga matou-se, em última análise, *porque não tinha coragem bastante para viver*. Podemos simpatizar com ela, podemos sentir pena dela, mas, não obstante, a mão que a matou foi *a sua*, de ninguém mais.

Poirot fez uma pausa.

— E a senhorita? Aquele homem está preso e cumprirá uma longa sentença por outros crimes. A senhorita quer mesmo acabar com a vida — veja bem, *a vida* — de um ser humano?

Ela o encarou fixamente, os olhos sombrios. Finalmente, respondeu, entre dentes:

— Não, o senhor está com a razão. Não quero.

E, virando-se subitamente, saiu da sala. A porta da rua bateu com um estrondo.

Japp assobiou longamente.

— Macacos me mordam!

Poirot sentou-se e sorriu-lhe amavelmente. Passou-se um longo tempo antes que Japp falasse:

— Não era assassinato disfarçado em suicídio, mas suicídio disfarçado em assassinato.

— Sim, e muito bem disfarçado. Nenhum detalhe muito exagerado.

Japp perguntou de repente:

— Mas e a valise? Onde entra a valise?

— Mas meu amigo, meu querido amigo, eu já lhe disse muitas vezes que a valise não entra em lugar algum.

— Mas então por quê...?

— Os tacos de golfe. Os tacos de golfe, Japp. *Eles eram tacos de golfe de uma pessoa canhota.* Jane Plenderleith guardava seus tacos em Wentworth. Aqueles eram os de Bárbara Allen. Não é de admirar que Jane tenha ficado assustada quando dissemos que íamos abrir aquele armário, pois todo seu plano iria por água abaixo. Mas ela é inteligente e percebeu que tinha se traído. *Ela* notou que *nós* tínhamos visto. Então fez o que lhe pareceu mais apropriado para distrair nossa atenção — isto é, procurou atrair nossos pensamentos para o *objeto errado*, dizendo: "É minha. Eu a trouxe comigo quando cheguei hoje de manhã. Está vazia." E, como ela esperava, embarcamos na canoa furada. Pelo mesmo motivo, quando ela foi se desfazer dos tacos no dia seguinte, levou a valise como isca.

— Quer dizer que sua verdadeira intenção...

— Pense bem, meu amigo. Qual é o melhor lugar para se desfazer de uns tacos de golfe? Não é possível queimá-los ou pô-los na lata de lixo. Se você deixá-los em algum lugar, é provável que eles lhe sejam devolvidos. Miss Plenderleith levou-os para um clube de golfe. Lá, tomou alguns de seus próprios tacos e foi jogar sem um *caddy*. De tempos em tempos, parava, quebrava os tacos da amiga e jogava-os em alguma moita. Finalmente, jogou também a sacola fora. Se alguém achasse um taco quebrado aqui e ali, não se surpreenderia, pois há quem se exaspere tanto com seu próprio jogo que atira *todos* os tacos fora de uma vez. O golfe é um jogo que deixa você maluco. Mas — prosseguiu Poirot — Miss Plenderleith desconfiava que continuávamos interessados em suas ações, e o que faz então? Leva a isca, a valise, e atira-a no lago, sabendo que o fato seria testemunhado por alguém. Esta, meu caro, é a verdade sobre "O mistério da valise do beco".

Japp considerou seu amigo por alguns momentos e, finalmente, ergueu-se, dando-lhe um amistoso tapinha no ombro:

— Nada mau para um detetive decrépito. Você abiscoita o prêmio. Por falar nisso, que tal almoçarmos juntos?

— Ótimo, mas não vão ser meros biscoitos. Sei de um restaurante onde servem um excelente *blanquette de veau avec petits-pois à la française*. Podemos pedir uma *omelette aux champignons* de entrada e *baba au rhum* de sobremesa.

— É para já — retrucou Japp. — Mostre-me o caminho.

O roubo inacreditável

I

Enquanto o mordomo passava o *soufflé*, Lord Mayfield dizia alguma coisa em tom confidencial à sua vizinha da direita, Lady Julia Carrington. Conhecido como um perfeito anfitrião, Lord Mayfield chegava a extremos para manter sua reputação e, embora solteirão convicto, era sempre cativante com as senhoras.

Lady Julia Carrington tinha 40 anos, era alta, morena e cheia de vivacidade. Era magra, mas bonita, com mãos e pés particularmente delicados. Seus gestos eram inquietos e bruscos, típicos de uma pessoa nervosa.

Quase em frente a ela, do lado oposto da mesa redonda, estava sentado seu marido, o brigadeiro Sir George Carrington. Ele tinha iniciado sua carreira na marinha e guardava ainda muito dos modos expansivos de um velho homem do mar. Ria e brincava com a bela Mrs. Vanderlyn, sentada à esquerda do anfitrião.

Mrs. Vanderlyn era loura e bonita. Sua voz tinha um ligeiro traço de sotaque americano — o suficiente para ser encantador sem ser exagerado.

Do outro lado de Sir George Carrington estava a deputada Mrs. Macatta, uma grande autoridade em política habitacional e em assistência aos menores. Ela não falava: vociferava — e todo seu aspecto era do mesmo modo alarmante. Não era de se estranhar que o brigadeiro achasse sua vizinha da direita mais interessante.

Mrs. Macatta, onde quer que fosse, só falava nos assuntos de sua especialidade e, no momento, dedicava-se a fornecer detalhes ao seu vizinho da esquerda, o jovem Reggie Carrington.

Reggie Carrington tinha 21 anos e não demonstrava o menor interesse nem por política habitacional nem por assistência aos menores. Na verdade, nem sequer gostava de política. De tempos em tempos, intercalava um "É revoltante" ou um "A senhora tem toda razão", mas era evidente que seus pensamentos estavam muito longe. Entre Reggie e sua mãe estava sentado Mr. Carlile, secretário particular de Lord Mayfield — um jovem pálido, de *pince-nez* e um ar reservado, que falava pouco, mas estava sempre disposto ao sacrifício de preencher qualquer silêncio embaraçoso. Ao notar que Reggie Carrington mal podia disfarçar um bocejo, inclinou-se e rapidamente fez a Mrs. Macatta uma pergunta a propósito de seu projeto para educação física infantil.

Movendo-se silenciosamente ao redor da mesa, um mordomo e dois ajudantes passavam os pratos e enchiam as taças de vinho. Lord Mayfield pagava um alto salário a seu mestre-cuca e era considerado grande conhecedor de vinhos.

A mesa era redonda, mas não havia qualquer dúvida plausível sobre quem era o anfitrião, pelo ar de tranquila autoridade de Lord Mayfield — um homem forte, de ombros largos, abundantes cabelos brancos, nariz grande e reto e queixo ligeiramente proeminente. Um rosto que se prestava muito à caricatura. Sob seu nome de nascimento — Sir Charles McLaughlin —, Lord Mayfield combinara a carreira política com a chefia de uma grande firma de engenharia, e era ele próprio um engenheiro de primeira linha. O título nobiliárquico fora-lhe concedido há um ano e, ao mesmo tempo, fora nomeado ministro dos Armamentos, um ministério que acabara de ser criado.

A sobremesa fora servida, o vinho do Porto circulado uma vez. Fazendo um sinal com os olhos a Mrs. Vanderlyn, Lady Julia ergueu-se. As três mulheres deixaram a sala.

O Porto circulou novamente, e Lord Mayfield falou de faisões. Durante uns cinco minutos, a conversação girou sobre caça. Então Sir George comentou:

— Acho que você poderia fazer companhia às senhoras, Reggie. Tenho certeza de que Lord Mayfield não se importará.

O rapaz percebeu de imediato a indireta.

— Obrigado, Lord Mayfield.

Mr. Carlile murmurou:

— Se o senhor me permite, Lord Mayfield, tenho alguns papéis para pôr em ordem...

O anfitrião assentiu com a cabeça, e os dois moços deixaram a sala. Os criados já haviam saído há algum tempo. O ministro dos Armamentos e o chefe da Força Aérea estavam sozinhos.

Depois de um minuto ou dois, Carrington disse:

— E então? Tudo perfeito?

— Perfeitíssimo. Nenhum outro país da Europa tem algo que se compare a este bombardeiro.

— Muito melhor que os outros, né? Era o que eu pensava.

— Vamos ter a supremacia aérea — disse Lord Mayfield em tom convicto.

Sir George Carrington deixou escapar um suspiro de alívio.

— E já não era sem tempo. Você sabe, Charles, que a situação na Europa não anda boa, com todo o mundo armado até os dentes. E nós estávamos ficando para trás, essa é a verdade. Este bombardeiro vem nos livrar de um aperto dos diabos. E olhe que ainda não nos safamos de todo.

Lord Mayfield observou:

— Mesmo assim, George, começar depois tem suas vantagens. Alguns outros países estão com seu armamento quase obsoleto e gastaram tanto nele que se encontram à beira da falência.

— Essa história para mim é conversa fiada. Estão sempre dizendo que esse ou aquele país está a caminho da bancarrota, mas eles vão em frente de um jeito ou de outro. Nunca consegui entender algo de finanças.

Um brilho divertido passou pelos olhos de Lord Mayfield. Sir George Carrington era o típico homem do mar "rude, franco e leal". Havia quem dissesse que ele adotava aquela pose deliberadamente.

Mas, mudando de assunto, Carrington disse num tom um pouco casual demais:

— Bela mulher, Mrs. Vanderlyn, não?

Lord Mayfield perguntou:

— Você está querendo saber o que ela veio fazer aqui?

Seus olhos mantinham o habitual brilho travesso. Carrington parecia um pouco atrapalhado.

— Não, absolutamente.

— Vamos lá, é claro que está. Não pense que não percebi. Você passou o jantar todo com pena de mim, com pena de que eu fosse a próxima vítima de Mrs. Vanderlyn.

Carrington respondeu devagar:

— Bem, achei mesmo um pouco estranho que ela estivesse aqui. Por coincidência, logo neste fim de semana.

Lord Mayfield concordou:

— Onde há carniça, há urubu. Temos aqui uma carniça suculenta, e Mrs. Vanderlyn pode ser classificada como o urubu número um.

O brigadeiro perguntou abruptamente:

— O que você sabe sobre essa mulher?

Lord Mayfield cortou a ponta de um charuto, acendeu-o com destreza e, atirando a cabeça para trás, deixou cair as palavras com cuidadosa precisão.

— O que sei sobre Mrs. Vanderlyn? Sei que é cidadã americana. Sei que já teve três maridos — um italiano, um alemão e um russo — e que, em consequência disso, estabeleceu contatos muito úteis nesses três países. Sei que mantém um padrão de vida muito elevado, embora ninguém tenha ainda descoberto de onde vem seu dinheiro.

— Vejo que seus espiões não andaram dormindo no ponto, Charles.

— Sei ainda — continuou Lord Mayfield — que, além de ser bela, Mrs. Vanderlyn é o que poderíamos chamar de uma excelente ouvinte, sendo capaz de mostrar um grau de interesse encantador em assuntos que outras mulheres considerariam aborrecidos. Quer dizer, um homem é capaz de falar horas sobre seu trabalho e descobrir, lisonjeado, que ela o ouve com prazer. Diversos jovens oficiais só descobriram, tarde demais para o futuro de suas carreiras, que contaram a Mrs. Vanderlyn um pouco além do que deviam. Quase todos seus amigos estão nas Forças Armadas. No ano passado, ela dedicou-se à caça em um condado nas cercanias de uma de nossas grandes fábricas de armamentos, fazendo amizade com gente que não tinha qualquer coisa a ver com tiro ao pombo. Para dizer em poucas palavras, Mrs. Vanderlyn é extremamente útil para a...

Lord Mayfield descreveu um círculo no ar com seu charuto antes de prosseguir:

— Melhor não dizermos para quem. Digamos apenas uma potência europeia... talvez mais de uma potência europeia.

Carrington respirou fundo.

— Você tira um grande peso de meus ombros, Charles.

— Você pensou que eu tivesse caído no canto da sereia? Ora, meu caro George. Mrs. Vanderlyn é um pouco óbvia demais em seus métodos para um gato escaldado como eu. Além disso, ela já não é assim tão moça. Jovens oficiais deslumbrados não se importam com isso, mas estou com 56 anos, meu caro, e os velhos preferem as moças. Daqui a uns quatro anos, provavelmente, serei um velho gagá correndo atrás de jovens debutantes.

— Foi tolice de minha parte — disse Carrington em tom de desculpa —, mas me parecia um pouco estranho...

— Parecia estranho que ela estivesse aqui logo no fim de semana em que nós dois vamos discutir os detalhes de uma descoberta que provavelmente revolucionará a guerra aérea, não?

Sir George Carrington assentiu.

Lord Mayfield completou, com um sorriso:

— Mas foi para isto que a convidei. Para morder a isca.

— Que isca?

— Olhe, George, até hoje não nos foi possível provar qualquer coisa contra a mulher, porque ela tem sido diabolicamente cuidadosa. Portanto, decidi tentá-la com algo realmente grande.

— Quer dizer que o novo bombardeiro é a isca?

— Exatamente. Uma isca suficientemente apetitosa para levá-la a se arriscar um pouco demais. E, então, nós a pegamos.

Sir George resmungou:

— O.k. Mas e se ela não morder a isca?

— Seria uma pena — retrucou Lord Mayfield. — Mas acho que morderá...

Ele se levantou.

— Vamos fazer companhia às senhoras? Sua mulher deve estar à procura de parceiros para o bridge.

Sir George queixou-se:

— Julia é maníaca por aquele bridge e aposta alto demais. Já lhe disse isso, mas ela é viciada.

Erguendo-se e caminhando em direção a seu anfitrião, Carrington disse:

— Espero que seu plano dê certo, Charles.

II

Na sala de visitas a conversa já fora interrompida mais de uma vez. Mrs. Vanderlyn geralmente não fazia sucesso entre as mulheres, que se mostravam insensíveis a seus modos que tanto encantavam os homens.

Lady Julia era uma mulher que sabia ser muito bem-educada ou muito mal-educada. No momento, ela tinha optado pela segunda alternativa, pois não gostava de Mrs. Vanderlyn e achava Mrs. Macatta chatíssima. A conversa só não se extinguira de todo por causa dos esforços desta última.

Mrs. Macatta era uma mulher extremamente perseverante. Não perdeu tempo com Mrs. Vanderlyn, que identificou logo como um tipo inútil e parasitário, mas procurou fazer Lady Julia se interessar por um espetáculo beneficente que estava organizando. Esta, contudo, deu-lhe umas respostas vagas, disfarçou um bocejo ou dois e concentrou-se em seus próprios pensamentos. "Por que Charles e George não apareciam? Como eram irritantes os homens!" À medida que se absorvia em suas próprias preocupações, as respostas de Lady Julia se tornavam mais vagas e espaçadas.

Quando os homens finalmente apareceram, as três mulheres estavam em silêncio.

Lord Mayfield pensou com seus botões:

"Julia me parece adoentada. A mulher é evidentemente uma pilha de nervos."

Mas o que ele disse alto foi:

— Que tal uma rodada de bridge?

Lady Julia despertou de imediato, como se a própria palavra fosse o remédio para todos seus males.

Reggie Carrington também acabava de entrar; organizou-se logo em par. Lady Julia, Mrs. Vanderlyn, Sir George e Reggie sentaram-se à mesa de jogo. Lord Mayfield resignou-se ao sacrifício de entreter Mrs. Macatta.

Depois de duas rodadas, Sir George olhou acintosamente para o relógio sobre a lareira.

— Acho que não vale a pena começar outra — observou. Sua mulher pareceu aborrecida.

— São ainda 22h45. Vamos jogar uma rápida.

— Elas nunca são rápidas, minha querida — respondeu Sir George de bom humor. — Além disso, Charles e eu temos trabalho pela frente.

Mrs. Vanderlyn murmurou:

— Isso soa muito importante. Aposto como vocês, grandes homens, nunca têm oportunidade para descansar.

— A semana de 48 horas de trabalho não foi feita para nós — concordou Sir George.

Mrs. Vanderlyn continuou:

— Sei que não passo de uma americana roceira, mas talvez por isso mesmo fico arrepiada só de encontrar gente que controla os destinos de uma nação. Aposto que o senhor me acha muito simplória por dizer isso, Sir George.

— Minha cara Mrs. Vanderlyn, eu jamais a consideraria "roceira" ou "simplória".

Sir George sorria, e sua voz tinha um traço de ironia que Mrs. Vanderlyn não deixou de perceber. Ela se virou com desembaraço para Reggie, oferecendo-lhe seu melhor sorriso.

— É pena que nossa parceria tenha de acabar. Sua última jogada foi de gênio.

Vermelho e não cabendo em si de orgulho, Reggie respondeu sufocado:

— Foi pura sorte.

— Não, senhor. Foi uma jogada que mostrou seu grande poder de dedução. Você sabia exatamente o que todo o mundo tinha nas mãos.

Lady Julia ergueu-se bruscamente, pensando com seus botões que Mrs. Vanderlyn mentia sem a menor sutileza.

Mas seus olhos se comoveram ao ver o rosto de seu filho, ao perceber que ele acreditara em tudo. "Como era jovem e ingênuo! Não é de admirar que vivesse se metendo em embrulhadas. A verdade é que ele tinha uma natureza muito crédula e seu pai nunca chegara a compreendê-lo. Os homens", refletiu Lady Julia, "eram muito severos em seus julgamentos, pois se esqueciam de que também tinham sido jovens e de boa-fé. Não, George era severo demais com Reggie."

Mrs. Macatta tinha se levantado. Todos se cumprimentaram, em despedida.

As três mulheres saíram. Lord Mayfield preparou um uísque para Sir George, serviu-se de outro e ergueu a vista ao notar que Mr. Carlile aparecia na porta.

— Por favor, prepare todos os arquivos e todos os papéis, Carlile. As plantas e as especificações também. O brigadeiro e eu vamos para o escritório daqui a pouco. Mas que tal primeiro darmos uma volta lá fora, George? A chuva já parou.

Mr. Carlile virou-se para sair, mas se desculpou rapidamente ao notar que quase dera um esbarrão em Mrs. Vanderlyn.

Ela se esgueirou pela sala, dizendo:

— Meu livro. Eu o estava lendo antes do jantar. Reggie levantou-se de imediato, com um livro na mão.

— Será este por acaso? Estava aqui no sofá.

— É este mesmo. Muito obrigada. Você é gentilíssimo.

Ela sorriu delicadamente, disse boa noite mais uma vez e saiu da sala.

Sir George tinha aberto a porta envidraçada que dava para o jardim.

— Está uma beleza de noite — anunciou. — Boa ideia darmos uma volta.

Reggie disse:

— Boa noite, Lord Mayfield. Estou com tanto sono que quase tenho que me arrastar para a cama.

— Boa noite, meu rapaz — respondeu Lord Mayfield. Reggie pegou uma história de detetive que andara lendo antes do jantar e deixou a sala.

Lord Mayfield e Sir George saíram para o terraço.

A noite estava realmente bonita, com o céu limpo e cheio de estrelas.

Sir George respirou fundo.

— Ufa, aquela mulher se banha em perfume. — Lord Mayfield riu.

— Ainda bem que não é um perfume barato. Muito pelo contrário, acho que é um dos mais caros que existem.

Sir George fez uma careta.

— Graças a Deus.

— Graças a Deus mesmo. Uma mulher afogada em perfume barato é uma das maiores abominações a que está sujeita a humanidade.

Sir George olhou para o céu.

— É incrível como o tempo limpou. Estava chovendo forte durante o jantar.

Os dois homens começaram a passear vagarosamente.

O terraço corria toda a extensão da casa. Abaixo dele o terreno caía numa encosta suave, oferecendo uma magnífica vista das florestas de Sussex.

Sir George acendeu um charuto.

— A propósito dessa liga metálica... — começou. A conversa tornou-se extremamente técnica.

Quando eles se aproximavam pela quinta vez da extremidade mais distante do terraço, Lord Mayfield disse com um suspiro:

— Bem, mãos à obra.

— Sim, temos muito que fazer.

Os dois homens se viraram e, ao fazê-lo, Lord Mayfield deixou escapar uma exclamação de surpresa:

— Ei, o que é aquilo?

— Aquilo o quê?

— Aquela sombra que atravessou o terraço, saindo de meu escritório.

— Não havia sombra alguma, meu caro. Não vi coisa alguma.

— Bem, eu vi. Pelo menos, acho que vi.

— Seus olhos andam a lhe pregar peças. Eu estava olhando bem naquela direção e, se tivesse alguma coisa lá, eu a teria visto. É difícil alguma coisa me escapar... embora hoje em dia só consiga ler um jornal com os braços bem esticados.

— Aí eu levo vantagem, meu caro. Não preciso de óculos para ler os jornais.

— Mas dificilmente você consegue reconhecer um amigo do outro lado do plenário da Câmara. Ou aqueles óculos que você costuma usar por lá são só para intimidar seus adversários?

Os dois homens riram e entraram no escritório pela porta envidraçada, que estava aberta.

Mr. Carlile arrumava alguns papéis em um arquivo ao lado do cofre.

Ele ergueu a cabeça ao ver seu patrão entrar.

— Olá, Carlile, tudo preparado?

— Tudo pronto, Lord Mayfield. Os papéis estão sobre sua escrivaninha.

A escrivaninha em questão era um pesado móvel de mogno colocado de través num dos cantos do escritório, perto da janela. Lord Mayfield dirigiu-se a ela e começou a separar os papéis.

— Que magnífica noite — insistiu mais uma vez Sir George. Mr. Carlile concordou.

— De fato. É quase incrível, depois de toda aquela chuva. Pondo seu fichário de lado, Mr. Carlile perguntou:

— O senhor deseja mais alguma coisa, Lord Mayfield?

— Não, acho que não, Carlile. Pode deixar que eu mesmo guardo os documentos. Você pode ir embora, ainda vamos demorar.

— Obrigado. Boa noite, Lord Mayfield. Boa noite, Sir George.

— Boa noite, Carlile.

O secretário já estava saindo quando Lord Mayfield o deteve:

— Espere um instante, Carlile. Você esqueceu o documento mais importante.

— Como, Lord Mayfield?

— O projeto para o bombardeiro, homem de Deus.

— Mas está logo aí em cima, Lord Mayfield.

— Não está.

— Mas se eu o pus aí.

— Veja você mesmo.

Com uma expressão de perplexidade no rosto, o jovem adiantou-se. Lord Mayfield mostrou-lhe a pilha de papéis num gesto um pouco impaciente, e Carlile examinou-a, com a perplexidade a crescer em seu olhar.

— Como você mesmo pode ver, o projeto não está aqui.

O secretário começou a gaguejar:

— Mas... mas... é incrível. Eu o coloquei aí não faz nem três minutos.

Lord Mayfield respondeu de bom humor:

— Você deve ter cometido um engano. O projeto deve estar ainda no cofre.

— Não, tenho certeza. Eu o *coloquei* na mesa.

Lord Mayfield afastou-o com o braço e se dirigiu ao cofre. Sir George ajudou-o na busca, mas em poucos minutos eles se convenceram de que o projeto do bombardeiro não estava no cofre.

Os três homens retornaram à escrivaninha e procuraram mais uma vez aturdidamente.

— Meu Deus — gritou Lord Mayfield. — O projeto sumiu!

Mr. Carlile exclamou:

— Mas é... é impossível.

— Quem esteve neste escritório? — quis saber o ministro.

— Ninguém, ninguém.

— Olhe aqui, Carlile. O projeto não pode ter saído andando sozinho. Alguém o levou. Mrs. Vanderlyn esteve aqui?

— Mrs. Vanderlyn? Não.

— Posso garantir que é verdade — disse Carrington, farejando o ar. — Se ela tivesse estado aqui, teria deixado o rastro de seu perfume.

— Ninguém entrou aqui — continuou Carlile. — Não posso entender o que houve.

— Vamos pensar com calma, Carlile — interrompeu Lord Mayfield. — Vamos recapitular tudo desde o princípio. Você tem certeza absoluta de que o projeto estava no cofre?

— Absoluta.

— Mas você o viu ou simplesmente presumiu que ele estava junto com os outros papéis?

— Não, não, Lord Mayfield. Eu o vi. Eu o coloquei em cima dos outros documentos.

— E desde esse momento, segundo você, ninguém entrou no escritório. E você? Você saiu daqui?

— Não... quero dizer... sim.

— Ah — exclamou Sir George. — Está ficando quente.

Lord Mayfield recomeçou, com ar severo:

— Que diabo...

Mas Carlile interrompeu-o:

— Normalmente nem me passaria pela cabeça sair do escritório deixando papéis importantes sobre a mesa, Lord Maydfield, mas ouvi um grito de mulher...

— Um grito de mulher? — espantou-se Lord Mayfield.

— Sim. O senhor pode calcular minha surpresa. Eu tinha acabado de pôr os papéis na mesa quando o ouvi, e naturalmente saí para ver o que era.

— E o que era?

— Era a criada francesa de Mrs. Vanderlyn. Ela estava no meio da escada, muito branca e nervosa, tremendo toda. Disse que tinha visto um fantasma.

— Um fantasma?

— É. Uma mulher alta, vestida de branco, que se movia sem fazer barulho e parecia flutuar no ar.

— Que coisa mais ridícula!

— Sim, Lord Mayfield. Foi o que eu lhe disse. Devo confessar que ela parecia um pouco encabulada. Ela continuou subindo a escada, e eu voltei para cá.

— Há quanto tempo foi isso?

— Um ou dois minutos antes do senhor entrar com Sir George.

— E quanto tempo você ficou fora do escritório?

— Dois minutos. No máximo, três.

— Tempo mais do que suficiente — resmungou Lord Mayfield. De súbito, segurou o braço de seu amigo.

— George, aquela sombra que eu vi... aquela sombra que parecia sair deste escritório. Era o ladrão, George. Assim que Carlile saiu do escritório, ele entrou rapidamente, pegou o projeto e desapareceu.

— Que confusão — resmungou Sir George, segurando um dos braços do amigo.

— E agora, Charles? Que vamos fazer?

III

— Não custa tentar, Charles.

Meia hora mais tarde, os dois homens estavam ainda no escritório de Lord Mayfield, e Sir George procurava convencê-lo a tomar certas providências.

A princípio Lord Mayfield resistiu muito, mas, aos poucos, começava a ceder.

Sir George continuava:

— Não seja teimoso, Charles.

Lord Mayfield retrucou devagar:

— Por que entregarmos o caso a um estrangeiro que não conhecemos direito?

— Mas eu o conheço bem. É um extraordinário detetive.

— Hum...

— Olhe, será pelo menos uma tentativa que fazemos. E podemos contar com sua discrição. Se o caso se tornar público...

— *Quando* o caso se tornar público é o que você quer dizer...

— Não necessariamente. Este homem, Hercule Poirot...

— Chegará aqui e tirará o projeto de dentro de uma cartola, como um mágico?

— Ele descobrirá a verdade. E o que nós queremos é a verdade. Olhe, Charles, assumo a responsabilidade.

Lord Mayfield disse pausadamente:

— Bem, faça como achar melhor, mas não acho que esse sujeito...

Sir George tomou do telefone, não lhe dando tempo de completar a frase.

— Vou chamá-lo agora mesmo.

— Ele deve estar dormindo.

— Mas pode acordar. Temos de agir depressa, não podemos deixar aquela mulher escapar com o projeto.

— Você está falando de Mrs. Vanderlyn?

— Claro. Ou você tem alguma dúvida de que ela é a culpada?

— Não, nenhuma. Ela me fez cair em minha própria armadilha. É duro reconhecer que uma mulher pode ser mais esperta do que a gente. Não podemos provar qualquer coisa contra ela, mas sabemos ambos que ela é o cérebro por trás de tudo isso.

82   AGATHA CHRISTIE

— As mulheres são infernais — comentou Carrington com convicção.

— Não temos prova de que foi ela, isso é que é pior. Como confirmar que ela mandou sua empregada gritar e que tinha um cúmplice esperando lá fora para roubar o projeto?

— Por isso mesmo é que mandei chamar Hercule Poirot.

Lord Mayfield deu uma risada repentina.

— Deus do céu, George, sempre pensei que você fosse inglês demais para confiar num francês.

— Ele não é francês, é belga — desculpou-se Sir George, encabulado.

— Então que venha o seu belga. Venha e ponha a cabeça para funcionar. Aposto que não descobrirá mais do que já sabemos.

Sir George começou a discar, sem responder.

IV

Piscando um pouco e delicadamente disfarçando um bocejo, Hercule Poirot olhou primeiro para um e depois para o outro homem.

Eram 2h30. Hercule Poirot acabara de ouvir o que Sir George Carrington e Lord Mayfield tinham a dizer, depois de uma viagem em plena noite num Rolls-Royce, com chofer, que lhe enviaram.

— Esses são os fatos, Monsieur Poirot — disse Lord Mayfield. O anfitrião recostou-se em sua cadeira e vagarosamente colocou o monóculo. Por meio dele, um olho azul e sagaz observava Poirot com atenção. Mas não era apenas argúcia que se podia ler naquele olhar; era também ceticismo. Poirot, por sua vez, deu uma rápida mirada em Sir George Carrington, que se inclinara para a frente com uma expressão de esperança quase infantil no rosto.

Poirot disse, medindo as palavras:

ASSASSINATO NO BECO   83

— Deveras são esses os fatos. A criada grita, o secretário sai do escritório, o ladrão sem nome entra, o projeto está sobre a mesa, ele o apanha e desaparece. Os fatos... os fatos são muito convenientes.

Algo no tom da voz de Poirot pareceu atrair a atenção de Lord Mayfield. Ele deixou cair o monóculo e sentou-se ereto, como que em estado de alerta.

— Como disse, Monsieur Poirot?

— Eu disse, Lord Mayfield, que os fatos são muito convenientes... para o ladrão. Por falar nisso, o senhor tem certeza de que o que viu foi um homem?

Lord Mayfield sacudiu a cabeça.

— Não posso garantir. Foi... foi uma sombra. Para falar a verdade, no primeiro momento não tive certeza de ter visto algo.

Poirot virou-se para o brigadeiro:

— E o senhor, Sir George? Pode me dizer se era um homem ou uma mulher?

— Não vi qualquer coisa.

Poirot assentiu, refletindo. Depois, ergueu-se repentinamente e foi à escrivaninha.

— Posso garantir-lhe que o projeto não está aí — disse Lord Mayfield. — Nós três já o procuramos uma porção de vezes.

— Os três? Quer dizer que o secretário também?

— Sim. Meu secretário, Carlile.

— Diga-me, Lord Mayfield, que papel estava em cima da pilha quando o senhor sentou-se à escrivaninha?

Mayfield ergueu as sobrancelhas, procurando lembrar-se.

— Deixe-me ver... Era a minuta de um memorando a propósito de algumas de nossas defesas antiaéreas.

Poirot pegou um documento e o exibiu.

— Este aqui, Lord Mayfield?

Lord Mayfield examinou-o.

— Sim, este mesmo.

A seguir, Poirot mostrou o documento a Carrington.

— O senhor viu este documento sobre a mesa?

Sir George pegou o papel, mantendo-o longe dos olhos e colocou o *pince-nez* para vê-lo melhor.

— Sim, vi. Era o que estava em cima.

Poirot recolocou o papel na escrivaninha. Mayfield continuava a olhá-lo com curiosidade.

— Se há mais alguma questão a ser esclarecida... — começou.

— Sim, sim, claro que há. Carlile. Carlile é a questão.

— Deixe-me informá-lo, Monsieur Poirot, que considero Carlile acima de qualquer suspeita. Há nove anos ele é meu secretário particular, com acesso a todos os meus papéis, e gostaria de chamar-lhe a atenção para o fato de que ele facilmente poderia ter tirado uma cópia do projeto sem ninguém saber.

— Compreendo seu ponto de vista — respondeu Poirot. — Carlile não precisaria ter simulado um roubo.

— De qualquer forma — continuou Lord Mayfield —, respondo pela integridade de Carlile.

Sir George interrompeu-o em tom quase áspero:

— Carlile é inatacável.

— E essa Mrs. Vanderlyn... é atacável?

— Muito — disse George.

— Creio que não pode haver dúvida das... atividades de Mrs. Vanderlyn. O Ministério das Relações Exteriores poderá dar-lhe mais informações a respeito.

— E o senhor crê que a criada seja cúmplice da patroa.

— Não tenho a menor dúvida — interrompeu-o novamente Sir George.

— É uma hipótese viável — comentou Lord Mayfield em tom mais cauteloso.

Houve uma pausa. Poirot suspirou, tornou a arranjar distraidamente um ou dois objetos sobre a escrivaninha, e perguntou:

— Suponho que esse projeto fosse valioso, não? Quero dizer, que houvesse quem pagasse um bom preço por ele?

— Em uma certa parte da Europa, sim.

— Que parte? Esse fato seria conhecido de todos?

— De Mrs. Vanderlyn, sem dúvida alguma.

— Eu disse todos.

— Sim, acho que sim.

— Qualquer pessoa com um mínimo de inteligência?

— Sim, mas Monsieur Poirot... — Lord Mayfield começava a se sentir pouco à vontade.

Poirot ergueu as mãos.

— Eu investigo todas as possibilidades, Lord Mayfield. Subitamente ele se levantou, foi até o terraço e examinou a grama que se prolongava do jardim até a encosta.

Os dois homens o observavam.

Entrou, sentou-se e disse:

— Diga-me, Lord Mayfield, esse malfeitor embuçado... o senhor não o perseguiu?

Lord Mayfield deu de ombros.

— Ao chegar ao fundo do jardim, ele poderia facilmente escapar por uma estrada. Se estivesse de carro, estaria longe num instante...

— Mas há a polícia, a patrulha rodoviária...

— O senhor se esquece, Monsieur Poirot, que nós não queremos publicidade. Seria extremamente desagradável para o governo se a opinião pública tomasse conhecimento de que o projeto foi roubado.

— Claro, claro — disse Poirot. — É preciso não esquecer *la politique*. Os senhores mandaram me chamar porque queriam o máximo de discrição. É mais simples, mesmo.

— O senhor tem esperança de solucionar o caso, Monsieur Poirot? — perguntou Lord Mayfield num tom pouco crédulo.

O homenzinho sacudiu os ombros.

— E por que não? É questão apenas de reflexão, de raciocínio...

Fez nova pausa e disse:

— Gostaria de conversar com Mr. Carlile.

— Pois não. — Lord Mayfield ergueu-se. — Pedi-lhe que ficasse por perto. Vou chamá-lo.

86 AGATHA CHRISTIE

Lord Mayfield deixou o escritório. Poirot olhou para Sir George.

— *Eh bien* — disse. — Que me diz o senhor desse homem no terraço?

— Meu caro Monsieur Poirot, não me pergunte, pois não o vi e não poderia descrevê-lo.

Poirot aproximou-se.

— Foi o que o senhor me disse. Mas a verdade é um pouco diferente, não?

— O que o senhor quer dizer? — perguntou Sir George, asperamente.

— Como me explicar? Sua descrença, digamos assim, é mais profunda...

Sir George pareceu que ia começar a falar, mas parou.

— Vamos — disse Poirot em tom encorajador. — Diga-me: o senhor está ao lado de Lord Mayfield, na extremidade do terraço. Lord Mayfield vê uma sombra atravessar o jardim. Por que o senhor não a vê?

Carrington desabafou.

— O senhor está certo, Monsieur Poirot. Isso me parece extraordinário. Poderia jurar que ninguém atravessou o jardim. A princípio, pensei que fosse imaginação de Mayfield... talvez um galho de árvore. Quando entramos e descobrimos o furto, tudo indicava que Mayfield estava certo e eu errado. Mas apesar disso...

Poirot sorriu.

— Apesar disso, no fundo, o senhor acredita mais em seus olhos do que nos dele?

— Sim, Monsieur Poirot, acredito.

— E o senhor está com toda razão.

— Não havia pegadas na grama?

Poirot concordou.

— Exatamente. Lord Mayfield pensou ter visto uma sombra. Quando entrou e descobriu ter sido roubado, aquela impressão transformou-se em certeza. Ele se convence de que *tinha visto um homem*. Mas não viu. Em geral, não dou muita importância a pegadas e coisas semelhantes, mas é impossível ignorar a evidência. *Não havia qualquer pegada na grama.* Choveu forte à noite, e seria impossível alguém ter andado sobre a grama sem deixar marcas.

Sir George encarava-o fixamente:

— Mas então... então...

— Estamos de volta à casa. Às pessoas nesta casa.

Poirot calou-se ao ver que a porta se abria e Lord Mayfield entrava com Mr. Carlile.

O secretário estava muito pálido e preocupado, mas tinha recuperado um pouco do domínio de si mesmo. Sentou-se, dirigindo a Poirot um olhar inquiridor, enquanto ajustava seu *pince-nez.*

— Há quanto tempo o senhor estava neste escritório quando ouviu o grito, Monsieur?

— Entre cinco e dez minutos.

— Antes disso não tinha acontecido algo de anormal?

— Não.

— Creio que as pessoas nesta casa passaram a maior parte da noite num mesmo aposento, não?

— Sim, na sala de visitas.

— Sir George Carrington e sua esposa. Mrs. Macatta. Mrs. Vanderlyn. Mr. Reggie Carrington. Lord Mayfield e o senhor. Estou certo?

— Eu não estava na sala de visitas. Passei grande parte da noite aqui no escritório.

Poirot voltou-se para Lord Mayfield.

— Quem foi primeiro para a cama?

— Creio que Lady Julia Carrington. Não, pensando bem, as três senhoras se recolheram juntas.

— E a seguir?

— Mr. Carlile entrou, e eu lhe disse para pôr os papéis na escrivaninha, pois Sir George e eu iríamos examiná-los num instante.

— Foi então que o senhor decidiu dar um passeio lá fora?

— Foi.

— Mrs. Vanderlyn teria ouvido quando o senhor disse que ia trabalhar no escritório?

— Sim, falamos disso na presença dela.

88   AGATHA CHRISTIE

— Mas ela estava na sala quando o senhor deu ordens a Mr. Carlile para pôr os papéis sobre a escrivaninha?

— Não.

— Perdoe-me, Lord Mayfield — interrompeu Carlile. — Assim que o senhor falou comigo, eu ia saindo e esbarrei em Mrs. Vanderlyn, que voltara para apanhar um livro.

— O senhor acha que ela pode ter ouvido?

— Acho bastante possível.

— Ela voltou para apanhar um livro — refletiu Poirot. — O senhor encontrou o livro que ela procurava, Mr. Carlile?

— Eu não. Reggie encontrou-o e entregou a ela.

— É o que poderíamos chamar de o velho golpe... melhor dizendo, o velho truque do livro. Muito útil em geral...

— O senhor acha que foi proposital?

— Depois os senhores foram dar um passeio lá fora. E Mrs. Vanderlyn?

— Foi para o quarto com seu livro.

— E o jovem Monsieur Reggie? Também foi para a cama?

— Foi.

— E Mr. Carlile vem para cá, recomeça a trabalhar, mas cinco ou dez minutos depois ouve um grito. Prossiga, Mr. Carlile. O senhor ouviu um grito e foi ver o que era. Seria melhor se o senhor pudesse reproduzir exatamente suas ações.

Mr. Carlile levantou-se um pouco desajeitadamente.

— Vou dar o grito — disse Poirot para ajudá-lo, enquanto abria a boca e deixava escapar um balido agudo.

Lord Mayfield virou o rosto para esconder o riso, e Mr. Carlile mostrou-se ainda mais constrangido.

— *Allez*. Adiante, vá — comandou Poirot. — Acabo de lhe dar sua deixa.

Mr. Carlile encaminhou-se a passos rígidos até a porta, abriu-a e saiu para o corredor. Poirot seguiu-o, com os outros dois atrás.

ASSASSINATO NO BECO   89

— O senhor fechou a porta atrás de si ou deixou-a aberta?

— Não me lembro com certeza. Acho que a deixei aberta.

— Não importa. Vamos em frente.

Ainda constrangido, Mr. Carlile encaminhou-se para o sopé da escada e se postou lá, olhando para cima.

— O senhor disse que a criada estava na escada. Em que altura?

— A meia altura.

— E parecia perturbada?

— Muito.

— *Eh bien*, eu sou a criada — continuou Poirot, correndo escada acima. — Foi mais ou menos aqui que ela estava?

— Um degrau ou dois acima.

— Assim? — perguntou Poirot, assumindo uma posição.

— Bem... não propriamente.

— Como então?

— Ela... ela estava com as mãos na cabeça.

— Ah, com as mãos na cabeça. Muito interessante. Assim? — Poirot ergueu os braços, com as mãos segurando a cabeça logo acima das orelhas.

— Assim mesmo.

— Ah. Diga-me, Mr. Carlile, a criada é bonita?

— Não cheguei a reparar.

— Ah, o senhor não reparou? Mas o senhor é moço. Os moços não reparam quando as moças são bonitas?

— Francamente, Monsieur Poirot, tudo o que posso dizer-lhe é que eu não reparei.

Carlile lançou um olhar agoniado ao patrão, que respondeu com uma risada.

— Acho que Monsieur Poirot está querendo caçoar de você, Carlile.

— Eu nunca deixo de reparar quando uma moça é bonita — anunciou Poirot, descendo a escada.

Carlile limitou-se a receber a observação com um silêncio bastante significativo, mas Poirot não se deu por achado:

90 AGATHA CHRISTIE

— E foi então que ela lhe disse que tinha visto um fantasma?

— Sim.

— E o senhor acreditou na história?

— Ora, francamente, Monsieur Poirot.

— Não estou perguntando se o senhor acredita em fantasmas. Estou perguntando se lhe pareceu que a moça realmente pensava ter visto um.

— Ah, não posso garantir, mas ela de fato parecia muito nervosa e perturbada.

— O senhor viu ou ouviu a patroa dela?

— Sim, para falar a verdade, ouvi. Ela saiu de seu quarto no segundo andar e chamou a moça.

— E então?

— A criada subiu correndo, e eu voltei ao escritório.

— Enquanto o senhor estava aqui ao pé da escada, alguém poderia ter entrado no recinto pela porta que o senhor deixou aberta?

Carlile sacudiu a cabeça.

— Não, qualquer pessoa teria de passar por mim. Como o senhor vê, o escritório é bem no fim deste corredor.

Poirot concordou, pensativo. Mr. Carlile prosseguiu com sua voz precisa:

— Devo dizer que, felizmente para mim, Lord Mayfield viu o ladrão sair pela janela. Caso contrário, minha posição seria muito constrangedora.

— Tolice, meu caro Carlile — interrompeu Lord Mayfield. Você está acima de qualquer suspeita.

— É muita bondade sua dizer isso, Lord Mayfield, mas é preciso enfrentar os fatos e sei perfeitamente que eles não me deixam numa boa posição. Por isso mesmo, ficaria agradecido se minha pessoa e meus pertences fossem revistados.

— Bobagem, meu caro — insistiu Lord Mayfield.

— O senhor prefere mesmo ser revistado?

— Sem dúvida alguma.

Poirot estudou-o por um momento e disse, mais para si:

— Compreendo.

Depois perguntou:

— Qual é a posição do quarto de Mrs. Vanderlyn em relação a este escritório?

— Bem acima dele.

— Com uma janela abrindo para o terraço?

— Sim.

Poirot balançou a cabeça mais uma vez, dizendo a seguir:

— Vamos todos até a sala de estar.

Ao chegar lá, Poirot circulou pelo aposento, examinou os trincos das portas envidraçadas abrindo para o terraço, deu uma olhada nas anotações do jogo de bridge e finalmente dirigiu-se a Lord Mayfield.

— Este caso é mais complicado do que parece, mas uma coisa certa: o projeto não saiu desta casa.

— Mas meu caro Monsieur Poirot, o homem que eu vi saindo do escritório...

— Não havia homem algum.

— Mas se eu o vi...

— Com o respeito devido, Lord Mayfield, o senhor pensa que o viu, mas foi apenas a sombra de um galho de árvore. O fato de que, por coincidência, tenha havido um roubo pareceu-lhe prova definitiva de que o senhor realmente vira alguém.

— Mas Monsieur Poirot, o senhor quer que eu duvide de meus próprios olhos...

— Sou muito mais meus olhos a qualquer momento — interrompeu Sir George.

Poirot prosseguiu:

— Permita-me dizer-lhe isto com convicção absoluta, Lord Mayfield. *Ninguém atravessou aquele terraço a caminho do jardim.*

Mr. Carlile parecia extremamente tenso:

— Nesse caso, Monsieur Poirot, a suspeita cai naturalmente sobre mim. Sou a única pessoa que pode ter cometido o roubo.

Lord Mayfield cortou-lhe as palavras:

— Tolice, já afirmei. Seja o que for que Monsieur Poirot pense a seu respeito, não concordo com ele. Mais do que isso, ponho minha mão no fogo por sua inocência.

Poirot murmurou suavemente:

— Mas eu não disse que suspeito de Mr. Carlile.

— Não, mas o senhor deixou bem claro que ninguém mais teve a oportunidade de praticar o roubo.

— *Du tout! Du tout!*

— Mas se eu lhe disse que ninguém passou por mim no hall a caminho do escritório.

— Concordo. Mas alguém poderia ter entrado pela porta envidraçada do escritório.

— Mas o senhor não acabou de garantir que isso não aconteceu?

— O que eu disse é que nenhum estranho poderia ter vindo e saído sem deixar marcas no jardim. Mas o roubo pode ter sido feito por alguém da própria casa. A pessoa poderia ter saído desta sala por uma destas portas envidraçadas, caminhado pelo terraço, entrado no escritório e voltado pelo mesmo caminho.

Mr. Carlile contestou:

— Mas Lord Mayfield e Sir George estavam no terraço!

— Sim, mas caminhando. Sir George pode ter excelentes olhos, mas não atrás de sua cabeça. O escritório está no fim do terraço e esta sala vem logo a seguir, mas o terraço continua ainda por mais quantas salas? Três, quatro?

— Sala de jantar, sala de bilhar, saleta de visitas e biblioteca — disse Lord Mayfield.

— E quantas vezes os senhores caminharam pelo terraço?

— Pelo menos cinco ou seis.

— Como veem, teria sido fácil. Bastava ao ladrão esperar o momento oportuno.

Carlile perguntou, medindo as palavras:

— O senhor quer dizer que, quando eu saí ao hall para ver o que se passava com a criada, o ladrão estava esperando nesta sala?

— É o que penso. Mas por enquanto não passa de uma hipótese.

— Hipótese que me parece pouco provável — interrompeu Lord Mayfield —, pois o risco seria muito grande.

O brigadeiro objetou:

— Não concordo, Charles. Acho-a perfeitamente possível. Devíamos ter tido o bom senso de pensar nela há mais tempo.

— Os senhores compreendem agora — continuou Poirot — por que acho que o projeto ainda está nesta casa. O problema é achá-lo.

Sir George bufou:

— É muito simples. Reviste todo o mundo.

Lord Mayfield ia protestar, mas Poirot falou antes que ele pudesse fazê-lo.

— Não, não, não é tão simples assim. Quem roubou o projeto espera por uma busca nossa e tomará providências para que não o encontremos com ele ou entre seus pertences. O projeto deve estar escondido no que poderíamos chamar território neutro.

— O senhor está sugerindo que a gente procure pela casa toda?

Poirot sorriu.

— Não precisamos ser tão primários. Podemos descobrir o esconderijo ou a identidade do ladrão por dedução, o que simplificará muito as coisas. Gostaria de conversar com todo o mundo desta casa amanhã de manhã. Agora está muito tarde para isso.

Lord Mayfield concordou.

— Iria atrair muito a atenção — comentou — se arrastássemos todo o mundo para fora da cama às três da manhã. Mesmo amanhã cedo o senhor deve proceder com discrição, Monsieur Poirot, pois o caso tem de permanecer em sigilo.

Poirot fez um gesto com a mão.

— Deixe por conta de Hercule Poirot. Minhas mentiras são sempre sutis e convincentes. Está combinado

94 AGATHA CHRISTIE

que iniciarei minhas investigações amanhã. Mas hoje gostaria de conversar com o senhor, Sir George, e o senhor, Lord Mayfield.

E dizendo isso fez uma mesura.

— O senhor quer dizer... separadamente?

— Exato.

Lord Mayfield ergueu ligeiramente as sobrancelhas, mas depois assentiu:

— Perfeitamente. Deixarei o senhor à vontade com Sir George. Quando precisar de mim, estarei no escritório. Venha, Carlile.

Lord Mayfield e seu secretário saíram, fechando a porta atrás deles.

Sir George sentou-se, puxando do cigarro com um gesto mecânico. Tinha uma expressão intrigada no rosto.

— Se o senhor não me leva a mal, não percebo suas intenções.

— É muito fácil de explicar — disse Poirot com um sorriso. — Em duas palavras, para ser mais preciso: Mrs. Vanderlyn.

— Ah, compreendo agora — disse Sir George. — Mrs. Vanderlyn?

— Precisamente. Não seria muito delicado de minha parte fazer a Lord Mayfield a pergunta que me interessa. Por que Mrs. Vanderlyn está aqui? Todos sabem de suas atividades; por que então convidá-la? Só há três possibilidades. A primeira é que Lord Mayfield tem uma queda por ela, e é por isso que eu quis conversar separadamente com o senhor. A segunda é que Mrs. Vanderlyn é muito amiga de algum dos outros convidados.

— Não é o meu caso — disse Sir George com um sorriso.

— Se nenhuma das hipóteses se aplica, voltamos ao ponto de origem. Por que chamar Mrs. Vanderlyn? Só pode haver uma razão. Lord Mayfield desejava sua presença hoje nesta casa por um motivo especial. Estou certo?

Sir George assentiu.

— Certíssimo. Mayfield é um solteirão muito experimentado para cair nas artimanhas de Mrs. Vanderlyn. Ele a queria aqui por outras razões. Foi para...

Sir George repetiu o que ouvira de Lord Mayfield. Poirot escutou com atenção.

— Compreendo agora. Mas me parece que o tiro saiu pela culatra.

Sir George deixou escapar um palavrão.

Poirot observou-o um momento, com expressão divertida, depois continuou:

— O senhor não tem dúvida de que esse roubo é de responsabilidade de Mrs. Vanderlyn, quer ela tenha tomado nele parte ativa ou não?

— Não pode haver dúvida de que ela é a responsável. Quem mais teria interesse em roubar o projeto?

Poirot recostou-se e olhou o teto:

— Mas, Sir George, há quinze minutos o senhor concordava em que este projeto vale muito dinheiro. E se alguém nesta casa estivesse em má situação financeira?

O outro o interrompeu com um grunhido.

— Quem não está, hoje em dia? Acho que posso confessar isso sem me incriminar no roubo.

Ele sorriu. Poirot sorriu de volta e prosseguiu:

— *Mais oui*, o senhor pode dizer o que quiser, Sir George, que não destruirá seu álibi. Ele é convincente.

— O álibi pode ser, mas financeiramente estou quase em apuros.

Poirot balançou a cabeça, lacônico.

— Sim, sim, um homem em sua posição deve ter muitas despesas. Ainda mais com um filho na idade do seu...

Sir George suspirou:

— A universidade custa um fortuna e, além disso, ele anda cheio de dívidas. Mas não pense que é um mau rapaz.

Poirot ouviu com simpatia as queixas do brigadeiro. O titubeante ânimo da juventude, o modo incrível pelo qual as mães estragam a educação dos filhos, satisfazendo-lhes todas as vontades, o mal que era uma mulher viciada no jogo, a insensatez de fazer apostas que não podia pagar. Tudo isso foi dito em termos muito gerais, e Sir George não mencionou diretamente nem sua mulher nem seu filho, mas era muito fácil ver que se referia a eles.

Parou de súbito.

— Desculpe-me, não deveria estar aqui tomando seu tempo com assuntos estranhos às suas investigações, principalmente, a esta hora da noite. Ou, melhor dizendo, manhã.

Ele abafou um bocejo.

— Sugiro que o senhor vá deitar-se, Sir George. Sua ajuda foi inestimável.

— É, acho que vou mesmo. O senhor acredita que há possibilidade de reavermos o projeto?

Poirot deu de ombros.

— Vou tentar, e não vejo por que haveria de fracassar.

— Bom, vou indo. Boa noite.

Saiu da sala.

Poirot continuou sentado, estudando o teto pensativamente. Depois tirou do bolso um pequeno caderno de apontamentos e, procurando uma página nova, escreveu:

Mrs. Vanderlyn?
Lady Julia Carrington?
Mrs. Macatta?
Regie Carrington?
Mr. Carlile?

Mais abaixo, escreveu:

Mrs. Vanderlyn e Mr. Reggie Carrington?
Mrs. Vanderlyn e Lady Julia?
Mrs. Vanderlyn e Mr. Carlile?

Ele balançou a cabeça descontente e murmurou:

— *C'est plus simple que ça.*

A seguir, Poirot escreveu algumas frases curtas.

Lord Mayfield terá visto mesmo uma "sombra"? Se não, por que disse que viu? Terá Sir George visto alguma coisa? Ele se mostrou absolutamente seguro de não ter visto algo, mas só DEPOIS que eu examinei o jardim. Observação: Lord Mayfield é míope; pode ler sem óculos, mas precisa deles para ver alguém do outro lado da sala. Sir George tem vista cansada. Assim, para ver longe, do outro lado do terraço, seus olhos são melhores que os de Lord Mayfield. Mas Lord Mayfield GARANTE que viu alguma coisa, apesar de todas as afirmativas em contrário de seu amigo.

Será Mr. Carlile tão inocente quanto Lord Mayfield acredita? Lord Mayfield o considera acima de qualquer suspeita. Por que tanta certeza? Por que no fundo desconfia de seu secretário e sente-se envergonhado por isso? Ou por que tem suspeitas fortes sobre uma outra pessoa? Uma outra pessoa que não seja Mrs. Vanderlyn?

Poirot guardou o caderno.

Depois, levantando-se, caminhou para o escritório.

V

Lord Mayfield estava sentado em sua escrivaninha quando Poirot entrou. Virou-se, pôs de lado a caneta e olhou-o com expressão interrogativa.

— Que tal, Monsieur Poirot, teve sua conversa com Carrington?

Poirot sorriu e sentou-se.

— Sim, Lord Mayfield. Ele esclareceu um ponto que estava me intrigando.

— Qual?

— A razão para a presença da Mrs. Vanderlyn nesta casa. O senhor compreende, cheguei a julgar...

Mayfield percebeu de imediato aonde Poirot queria chegar com sua forçada demonstração de constrangimento.

— O senhor julgou que eu tinha uma queda por essa senhora? Absolutamente. Longe disso. É engraçado que Carrington pensasse a mesma coisa.

— Sim, ele me relatou a conversa que teve com o senhor a esse respeito.

Lord Mayfield parecia pesaroso.

— Meu pequeno plano parece ter fracassado. É embaraçoso reconhecer que uma mulher levou a melhor.

— Mas ela *ainda* não levou a melhor, Lord Mayfield.

— O senhor acha que ainda podemos nos safar? Agrada-me ouvir isso, mas não sei se posso acreditar muito.

Lord Mayfield deu um suspiro.

— Acho que banquei o bobo. E estava tão satisfeito com meu estratagema para desmascarar Mrs. Vanderlyn!

Hercule Poirot perguntou, enquanto acendia um de seus pequenos cigarros:

— E como era exatamente o seu estratagema, Lord Mayfield?

— Bem — hesitou Lord Mayfield —, não tinha chegado a planejá-lo em detalhes.

— O senhor não discutiu seu plano com alguém?

— Não.

— Nem mesmo com Mr. Carlile?

— Não.

— O senhor, sem dúvida, prefere agir sozinho, Lord Mayfield.

— Acho que em geral dá mais resultado — respondeu, um tanto carrancudo.

— O senhor tem razão. Não se deve confiar em quem quer que seja. Mas o senhor contou o caso a Sir George Carrington.

— Só porque compreendi que ele estava preocupado comigo.

Lord Mayfield sorriu ao dizer isso.

— Ele é um velho amigo seu?

— Sim. Conhecemo-nos há mais de vinte anos.

— E a esposa?

— Também a conheço há muito tempo.

— Mas, perdoe-me se estou sendo impertinente, o senhor tem relações de amizade tão estreitas com ela quanto tem com Sir George?

— Não chego a perceber o que tem o caso em questão com minhas relações pessoais, Monsieur Poirot.

— Acho que pode ter muita coisa a ver, Lord Mayfield. O senhor não concordou com minha teoria de que era possível haver alguém na sala de visitas?

— Concordei. Acho mesmo que é o que deve ter acontecido.

— Melhor não dizermos *deve*. É uma palavra que implica muita certeza da parte de quem a diz. Mas, se minha teoria está certa, quem o senhor acha que era a pessoa na sala de visitas?

— Só pode ter sido Mrs. Vanderlyn. Ela já tinha voltado lá para apanhar um livro e poderia inventar outro pretexto qualquer. Uma bolsa, ou um lenço, enfim uma dessas muitas desculpas femininas. Ela diz a sua criada para gritar e atrair Carlile para fora do escritório, e, então, entra e sai pela porta envidraçada, como o senhor disse.

— O senhor se esquece de que não pode ter sido Mrs. Vanderlyn. Carlile ouviu-a chamar a criada *de cima*, enquanto ele falava com a moça.

Lord Mayfield mordeu o lábio inferior.

— É verdade, tinha me esquecido.

Ele parecia aborrecido.

— Como o senhor vê, vamos fazendo progressos — disse Poirot, amavelmente. — Começamos com a explicação de que um ladrão tinha vindo de fora, mas, como eu disse logo, essa teoria era conveniente demais para ser aceita. A seguir, passamos à tese de um agente estrangeiro, Mrs. Vanderlyn, mas também temos de abandoná-la.

— O senhor inocentaria Mrs. Vanderlyn por completo?

— Só posso ter certeza de que Mrs. Vanderlyn não estava na sala de visitas, mas talvez fosse um cúmplice dela, como talvez fosse outra pessoa qualquer. Nesta última hipótese, temos de achar um motivo, o *porquê* do roubo.

— Esta hipótese não será forçada demais, Monsieur Poirot?

— Não vejo por quê. Agora, que motivos existiriam? Em primeiro lugar, o dinheiro. O projeto pode ter sido roubado para ser vendido. Esse seria o móvel mais simples. Mas é possível que o motivo fosse algo completamente diferente.

— Como?

— O roubo pode ter sido feito com o propósito de prejudicar alguém?

— Quem?

— Mr. Carlile, talvez, pois ele seria o suspeito imediato. Mas a razão talvez seja mais complexa. Os homens que controlam o destino de uma nação são extremamente vulneráveis às demonstrações de sentimento popular.

— O senhor quer dizer que o roubo foi feito com o objetivo de me prejudicar?

Poirot assentiu.

— Se minha memória não me engana, Lord Mayfield, há cerca de cinco anos o senhor esteve em um certo apuro, pois o acusaram de ser amigo de uma potência europeia, à época, altamente impopular com o eleitorado deste país.

— É verdade, Monsieur Poirot.

— Não é fácil a missão de um estadista. Ele tem de adotar a política que julga mais vantajosa para o país, mas tem, ao mesmo tempo, de respeitar a opinião pública. Ora, esta é frequentemente sentimental, confusa e errônea, mas nem por isso pode ser ignorada.

— O senhor coloca o problema muito bem. Esta é sem dúvida a maldição do político: agradar a opinião pública, por mais errada que ela seja.

— E creio que seu dilema era precisamente este. Havia rumores de que o senhor estava prestes a negociar um tratado com o país em questão, o que provocou grande ira dos jornais. Para sua felicidade, o primeiro-ministro desmentiu tudo, e o senhor negou que tivesse sequer estabelecido contato com o outro país, embora deixasse claro que era a favor de fazê-lo.

— Tudo isso é verdadeiro, Monsieur Poirot, mas por que desencavarmos o passado?

— Porque eu suspeito que algum desafeto, irritado por vê-lo sobreviver àquela crise, esteja agora tentando preparar-lhe outra. O senhor conquistou de novo a confiança do povo e é um dos políticos mais prestigiados do momento. Dizem até que o senhor deverá ser o novo primeiro-ministro.

— O senhor acha que o roubo é uma manobra para desacreditar-me? Não creio.

— *Tout de même*, Lord Mayfield, o senhor ficaria numa posição delicada se soubessem que o projeto para o mais novo bombardeiro britânico foi roubado durante um fim de semana em que o senhor tinha como hóspede uma certa senhora muito encantadora. Uma insinuação aqui e ali sobre suas relações com essa dama seria o suficiente para desacreditá-lo.

— Ninguém levaria essas histórias a sério.

— Meu caro Lord Mayfield, o senhor sabe muito bem que as levariam. Não é preciso muito para abalar a confiança do povo num homem.

— Sim, é verdade — concordou Lord Mayfield, parecendo subitamente preocupado. — Meu Deus, como este caso começa a se complicar. O senhor acha mesmo... mas é impossível... é impossível.

— O senhor sabe se alguém sente inveja da sua pessoa?

— A mera hipótese é um absurdo.

— Absurda ou não, o senhor há de reconhecer que minhas perguntas sobre suas relações com seus hóspedes não são totalmente irrelevantes.

— É possível. O senhor me perguntou sobre Julia Carrington. Não tenho muito o que dizer. Nunca tivemos grande simpatia um pelo outro. Considero-a uma dessas mulheres meio insuportáveis, extravagantes, maníacas por baralho. Creio que ela me acha mais ou menos um novo-rico.

Poirot respondeu:

— Procurei seu nome no *Who's who* antes de vir para cá. O senhor foi diretor de uma famosa firma de engenharia e é, aliás, um engenheiro de primeira linha.

— Não há nada a esconder, pois fiz minha carreira começando de baixo.

Lord Mayfield continuava carrancudo.

— Mas, claro! — gritou Poirot. — Sou um idiota, um completo idiota.

Lord Mayfield olhou-o espantado.

— O que o senhor disse, Monsieur Poirot?

— Eu disse que começo a desvendar o quebra-cabeça. As peças começam a se encaixar. Sim, tudo começa a se ajustar às mil maravilhas.

Lord Mayfield parecia disposto a querer detalhes, mas Poirot balançou a cabeça negativamente.

— Não, não. Mais tarde. Preciso organizar minhas ideias um pouco mais.

Ele ergueu-se.

— Boa noite, Lord Mayfield. Acho que sei onde está o projeto.

Lord Mayfield não se conteve:

— Sabe? Então vamos apanhá-lo imediatamente.

Poirot de novo sacudiu a cabeça.

— Não, não queremos precipitações. Deixe tudo por minha conta.

E saiu do escritório. Lord Mayfield ergueu os ombros com desdém, enquanto resmungava:

— Não passa de um charlatão.

Guardou seus papéis, desligou a luz e também foi dormir.

VI

— Se houve um roubo, por que diabo o velho Mayfield não manda chamar a polícia? — quis saber Reggie Carrington.

O rapaz afastou um pouco a cadeira da mesa onde acabara de tomar o café da manhã.

Fora o último a descer. O anfitrião, Mrs. Macatta e Sir George já tinham acabado quando ele chegou. Sua mãe e Mrs. Vanderlyn estavam tomando o café em seus quartos.

Sir George repetiu o recado que lhe fora pedido por Lord Mayfield e Poirot, mas com a desagradável impressão de que não estava se encarregando bem de sua missão.

— Muito estranho que tenha chamado este gringo meio doido — continuou Reggie. — O que roubaram, afinal?

— Não sei ao certo, meu filho.

— Não foi algo importante? Documentos ou qualquer coisa assim?

— Para ser franco com você, Reggie, não estou autorizado a dizer-lhe.

— Então é segredo, hein?

Reggie começou a subir a escada, parou por um momento, hesitante, mas depois continuou e bateu à porta do quarto de sua mãe. Uma voz mandou-o entrar.

Lady Julia estava sentada na cama, fazendo contas no verso de um envelope.

— Bom dia, Reggie — disse ela, e, ao ver seu rosto, perguntou: — Há algo errado com você?

— Comigo nada, mas parece que houve um roubo durante a noite.

— Um roubo? O que foi roubado?

— Não sei. Tudo anda em grande segredo. Há uma espécie de detetive particular interrogando as pessoas lá embaixo.

— É incrível.

— É sobretudo desagradável — disse Reggie, pausadamente — quando se é hóspede de uma casa onde acontece uma coisa dessas.

— Mas o que aconteceu exatamente?

— Não sei. Foi depois que fomos dormir. Cuidado, mamãe, a bandeja vai cair.

Ele apanhou a bandeja do café e colocou-a numa mesa perto da janela.

— Roubaram dinheiro?

— Já disse que não sei.

— É de supor que este detetive esteja a fazer perguntas por aí?

— Acho que sim.

— Onde as pessoas estavam à noite passada? Esse tipo de perguntas?

— Provavelmente. Bem, não posso dizer muito. Fui direto para a cama e adormeci imediatamente.

Lady Julia permaneceu calada.

— Olhe, mamãe, será que você não podia me emprestar algum dinheiro? Estou sem um tostão.

— Impossível — respondeu Lady Julia com firmeza. — Minha conta no banco já está negativa. Nem sei o que seu pai vai dizer quando descobrir.

Ouviu-se uma pancada na portà, e Sir George entrou.

— Ah, você está aqui, Reggie. Você se incomoda em ir até a biblioteca? Monsieur Hercule Poirot quer falar com você.

Poirot acabara de interrogar a temível Mrs. Macatta.

Não foram necessárias muitas perguntas para se estabelecer que Mrs. Macatta fora para a cama antes das 23 horas e que não vira nem ouvira algo de interessante.

Poirot então desviara o assunto para questões mais pessoais. Dissera que tinha uma grande admiração por Lord Mayfield. Que o considerava um grande homem. Mas Mrs. Macatta, que era membro da Câmara, teria certamente muito mais condições de falar sobre as qualidades de Lord Mayfield.

— Ele é muito inteligente — admitiu Mrs. Macatta.

— E se fez na vida por si mesmo. Não deve qualquer coisa à família ou aos amigos, mas talvez tenha pouca visão, no que aliás os homens são todos parecidos. Falta a eles a amplitude da imaginação feminina. Em dez anos, Monsieur Poirot, as mulheres vão dominar o governo deste país.

Poirot disse não ter qualquer dúvida a respeito.

Depois, com jeito, perguntou por Mrs. Vanderlyn. Seria verdade, como lhe tinham insinuado, que Lord Mayfield e ela eram, digamos assim, amigos íntimos?

— Absolutamente. Para falar a verdade, surpreendi-me ao vê-la aqui. Surpreendi-me muito mesmo.

Poirot incitou Mrs. Macatta a emitir sua opinião sobre Mrs. Vanderlyn.

— Uma mulher inteiramente *inútil*, Monsieur Poirot. Uma parasita, acima e antes de qualquer outra coisa. Mulheres como ela me levam a ter vergonha de meu próprio sexo.

— Mas os homens a consideram atraente?

— Os homens. — Havia um profundo desprezo na voz de Mrs. Macatta. — Os homens estão sempre caindo por mulheres de beleza vulgar. Veja aquele rapaz, Reggie Carrington, vermelho como um pimentão toda vez que Mrs. Vanderlyn lhe dirige a palavra. Só um tolo poderia acreditar nos elogios de Mrs. Vanderlyn, mesmo porque Reggie Carrington joga bridge muito mal.

— Oh, pensei que ele fosse um bom jogador.

— Longe disso. Fez as maiores bobagens ontem à noite.

— Mas sua mãe joga bem, não?

— Bem demais, em minha opinião — respondeu Mrs. Macatta. — É quase uma profissional. Joga de manhã, de tarde e de noite.

— E aposta alto?

— Muito alto, alto demais para mim. Acho mesmo que é errado alguém apostar tanto.

— E costuma ganhar?

Mrs. Macatta deixou escapar um suspiro de desgosto.

— Acho que ela procura pagar suas dívidas com o bridge, mas ultimamente vem perdendo muito dinheiro, pelo que ouvi dizer. Ontem à noite ela parecia estar com sua atenção concentrada em algum outro problema. O vício do jogo é quase tão ruim quanto o da bebida, Monsieur Poirot. Se minha autoridade neste país fosse maior...

Poirot viu-se constrangido a ouvir um longo sermão sobre a degeneração da moral inglesa, mas, na primeira oportunidade, encerrou a conversa e mandou chamar Reggie Carrington.

Examinou o rapaz com atenção ao vê-lo entrar na biblioteca. Reparou especialmente nos traços hesitantes de seu rosto, na cabeça alongada, na impressão geral de fraqueza que Reggie disfarçava sob um sorriso quase cativante. Poirot conhecia bem o tipo.

— Mr. Reggie Carrington?

— Sim. Posso ser útil?

— Diga-me, por favor, tudo que sabe a respeito de ontem à noite.

— Deixe-me ver... Jogamos bridge na sala de visitas. Depois fui para a cama.

— A que horas?

— Pouco antes das 23 horas. O roubo foi depois, não?

— Sim, depois. O senhor não viu ou ouviu algo?

Reggie balançou a cabeça laconicamente.

— Infelizmente, não. Fui direto para a cama e dormi como uma pedra.

— Ao sair da sala de visitas, o senhor foi direto para seu quarto e ficou lá a noite inteira?

— Sim.

— É curioso — comentou Poirot.

— Curioso? O que é curioso? — quis saber Reggie, ansioso.

— O senhor não ouviu um grito?

— Não, não ouvi.

— É muito curioso.

— Olhe aqui, o senhor pode ter a bondade de se explicar melhor?

— Será que o senhor é um pouco surdo?

— Claro que não.

Os lábios de Poirot moveram-se, mas ele não falou qualquer coisa. É possível que estivesse dizendo consigo mesmo, pela terceira vez, a palavra "curioso". Finalmente, continuou:

— Bem, muito obrigado, Mr. Carrington. É só. Reggie levantou-se, nervoso.

— Sabe, é possível que eu tenha ouvido alguma coisa...

— Ah, ouviu?

— Sim, mas veja bem... eu estava lendo um livro, uma história de detetive, para dizer a verdade, e eu... bem, não cheguei a perceber claramente que barulho era.

— Ah — disse Poirot, com expressão impassível —, uma explicação muito convincente.

Reggie continuava a hesitar. Virou-se, caminhou vagarosamente em direção à porta e perguntou:

— Hum, o que foi roubado?

— Algo de grande valor, Mr. Carrington. É tudo o que posso dizer.

— Ah! — fez Reggie, desconcertado.

E saiu da biblioteca.

Poirot balançava a cabeça.

— As peças se ajustam — murmurou. — As peças se ajustam muito bem.

Tocou a campainha e perguntou polidamente se Mrs. Vanderlyn já tinha se levantado.

VII

Mrs. Vanderlyn entrou na biblioteca com a majestade de quem se sabe bela. Vestia um traje esportivo castanho avermelhado que realçava a tonalidade clara de seus cabelos. Deixou-se deslizar para uma cadeira enquanto dava um sorriso cativante para o homenzinho à sua frente.

Por um instante fugidio, o sorriso mostrou algo mais que passava pela cabeça de Mrs. Vanderlyn — talvez triunfo, talvez zombaria. Não demorou muito, mas revelava isso. Poirot considerou o fato interessante.

— Ladrões? Ontem à noite? Que coisa horrível! Eu? Não, não ouvi coisa alguma. E a polícia? Será que ela não pode fazer algo?

Novamente, e também apenas por um instante, a zombaria transpareceu em seus olhos.

Hercule Poirot pensou:

"É óbvio que *você* não está com medo da polícia, minha cara. Você sabe muito bem que ela não vai ser chamada."

E da certeza de que ela sabia disso, que conclusão poderia tirar Poirot?

Em voz alta, falou:

— A senhora compreende, madame, que este caso tem de ser tratado com a maior discrição.

— Sim, sim, claro, Monsieur... Monsieur Poirot, não é mesmo seu nome? Pode contar com toda minha colaboração. Admiro Lord Mayfield enormemente e jamais faria alguma coisa que pudesse prejudicá-lo.

Ela cruzou as pernas, mostrando delicados sapatos marrons de salto baixo. Sorriu, um sorriso irresistível e amistoso, um sorriso de ótima saúde e muita satisfação.

— Gostaria muito de poder ajudá-lo.

— Agradecido, madame. A senhora jogou bridge ontem à noite na sala de visitas?

— Sim.

— É verdade que, em seguida, as senhoras foram dormir?

— É verdade.

— Mas alguém voltou para apanhar um livro. Foi a senhora, não?

— Sim, fui a primeira a voltar.

— O que a senhora quer dizer com este "a primeira"? — perguntou Poirot, vivamente.

— Eu voltei imediatamente — explicou Mrs. Vanderlyn. — Então fui de novo para meu quarto e toquei a sineta, chamando minha criada, que demorou muito a atender. Chamei-a novamente, depois fui até quase o patamar da escada. Ouvi sua voz e a chamei. Ela estava nervosa e embaraçou meus cabelos com a escova uma ou duas vezes enquanto me penteava. Foi então, ao mandá-la embora novamente, que vi Lady Julia subindo a escada. Ela me disse que tornara a descer para apanhar um livro também. Curioso, não?

Mrs. Vanderlyn sorriu ao acabar de falar, um sorriso de esperteza felina. Hercule Poirot deduziu que Mrs. Vanderlyn não gostava de Lady Julia Carrington.

— Realmente, madame. Diga-me, a senhora ouviu sua criada gritar?

— Sim, algo que me pareceu um grito.

— E a senhora perguntou-lhe por que gritara?

— Sim, ela me disse que vira um vulto de branco a flutuar... uma bobagem assim.

— Que vestido Lady Julia estava usando?

— O senhor acha que... Sim, compreendo. Lady Julia estava usando um vestido branco. É claro, é o que deve ter ocorrido. Ela deve ter visto o vulto de Lady Julia, no escuro, com um vestido branco. Essas criadas são terrivelmente supersticiosas.

— Sua criada trabalha para a senhora há muito tempo?

— Não — respondeu Mrs. Vanderlyn. — Há uns cinco meses apenas.

— Gostaria de conversar com ela agora, se a senhora não se incomoda.

Mrs. Vanderlyn ergueu as sobrancelhas.

— Pois não — respondeu, um tanto friamente.

— A senhora compreende, eu gostaria de interrogá-la.

110   **AGATHA CHRISTIE**

— Pois não — a sombra de zombaria voltou a passar em seu rosto. Poirot levantou-se e a cortejou.

— Sou seu mais profundo admirador, madame.

Pela primeira vez, Mrs. Vanderlyn pareceu pouco à vontade.

— Muita gentileza sua, Monsieur Poirot, mas por quê?

— Porque sua autoconfiança é verdadeiramente enorme.

Mrs. Vanderlyn deu um sorriso em que havia um certo nervosismo.

— Devo tomar isso como um elogio?

— Talvez como uma advertência... para não encarar a vida com arrogância.

Mrs. Vanderlyn voltou a rir com mais segurança, enquanto se levantava e lhe estendia a mão.

— Meu caro Monsieur Poirot, desejo-lhe êxito em sua missão. Muito agradecida pelas coisas gentis que me disse.

E saiu da biblioteca.

Poirot murmurou consigo mesmo:

— Deseja-me sucesso, hein? Ah, mas a senhora está certa de que eu não vou ter sucesso. E isso me irrita muito.

Com um gesto ligeiramente petulante, Poirot tocou a campainha e pediu que Mademoiselle Leonie entrasse. Seus olhos se demoraram apreciativamente sobre a moça enquanto ela esperava, hesitante, no vão da porta, muito recatada em seu vestido negro, com o cabelo negro e ondulado muito bem repartido. Conservava o olhar baixo. Poirot parecia satisfeito com o que via.

— Entre, Mademoiselle Leonie — disse. — Não tenha medo. Ela entrou e continuou de pé em frente a ele, com seu ar modesto.

— A senhorita sabe — Poirot mudou de repente o tom de voz — que eu a acho muito bonita?

A reação de Leonie foi imediata. Ela lhe deu uma rápida mirada com o canto dos olhos e murmurou com voz suave:

— O senhor é muito gentil.

— Agora veja a senhorita — continuou Poirot. — Perguntei a Mrs. Carlile se a senhorita era bonita, e ele me respondeu que não sabe.

Leonie ergueu o queixo em sinal de desprezo.

— Aquele paspalhão.

— Acho que a palavra o descreve muito bem.

— Acho que ele nunca olhou para uma garota em sua vida.

— É provável. E é uma pena, pois ele não sabe o que tem perdido. Mas há outros nesta casa que apreciam melhor o belo, não?

— Não compreendo aonde o senhor quer chegar.

— Compreende muito bem, Mademoiselle Leonie. Falo daquela bela fábula que a senhorita criou ontem à noite a propósito de um fantasma. Assim que me disseram que a senhorita estava lá com as mãos na cabeça, vi logo que não havia fantasma algum. Quando uma moça toma um susto, ela leva as mãos ao coração, ou à boca, para abafar um grito. Mas, se suas mãos estão na cabeça, então o motivo é completamente diferente. *É porque seu cabelo foi despenteado e ela o está ajeitando rapidamente.* Vamos, Mademoiselle, conte-me a verdade. Por que a senhorita gritou ontem à noite?

— Mas, monsieur, eu já lhe disse; vi um vulto de branco deslizando...

— Mademoiselle, não insulte minha inteligência. Esta história pode ter sido boa para Mr. Carlile, mas não serve para Monsieur Poirot. A verdade é que alguém acabara de lhe dar um beijo. E vou dar um palpite: foi Mr. Reggie Carrington.

Leonie piscou com ar maroto.

— *Eh bien*, que mal há num beijo?

— Nenhum, de fato — respondeu Poirot, galantemente.

— O senhor sabe, ele me pegou de surpresa e me segurou pela cintura. Foi por isso que eu gritei. Se eu

112   AGATHA CHRISTIE

soubesse que ele ia me beijar, então naturalmente não teria gritado.

— Naturalmente — concordou Poirot.

— Mas ele veio como um gato. E então a porta do escritório se abriu, surgiu *Monsieur le secrétaire* e Mr. Carrington desapareceu escada acima, deixando-me lá como uma idiota. Eu tinha de inventar uma desculpa, especialmente para um... um... — ela hesitou e continuou em francês — *un jeune homme comme ça, tellement comme il faut.*

— Foi então que a senhorita inventou o fantasma?

— Foi a primeira coisa que me ocorreu. Uma figura vestida de branco, que flutuava. É ridículo, mas o que mais poderia eu fazer?

— Nada, realmente. Finalmente está tudo explicado. Eu desconfiava desde o começo.

Leonie lançou-lhe um olhar provocativo.

— O senhor é muito inteligente, e muito simpático.

— E como não pretendo contar a alguém nosso segredo, acho que, como compensação, a senhorita poderia me fazer um pequeno favor.

— Com muito prazer, monsieur.

— O que a senhorita sabe das atividades de sua patroa?

— Não muito, monsieur. Mas tenho minhas suspeitas.

— E que suspeitas são essas?

— Bem, já percebi que os amigos de madame são todos oficiais da marinha, do exército e da aeronáutica. E há alguns outros, estrangeiros, que vêm vê-la, algumas vezes quase às escondidas. Madame é bonita, embora eu ache que sua beleza não vá durar muito mais tempo, porém os jovens se deslumbram com ela. Desconfio que, algumas vezes, eles falam demais. No entanto, é só uma impressão minha, pois madame não me diz qualquer coisa.

— A senhora quer dizer que sua patroa gosta de agir sozinha?

— Precisamente, monsieur.

— Em outras palavras, a senhorita não pode me ajudar.

— Receio que não, mas gostaria, se possível.

— Diga-me, sua patroa está de bom humor hoje?

— Muito, monsieur.

— A senhorita acha que aconteceu alguma coisa que a alegrou particularmente?

— Ela tem estado assim desde que chegou aqui.

— Bem, Leonie, ninguém melhor do que você para saber.

— Sim, monsieur. Tenho certeza absoluta, pois conheço muito bem o temperamento de madame. Ela está em excelente disposição.

— A senhorita diria triunfante?

— A palavra não poderia ser mais adequada, monsieur.

Poirot parecia deprimido.

— Isso me irrita muito, mas o que fazer? É inevitável. Obrigado, mademoiselle, é tudo.

Leonie lançou-lhe um olhar atrevido.

— Obrigada, monsieur. Se eu encontrá-lo na escada, pode ter certeza de que não vou gritar.

— Minha jovem — respondeu o detetive, com dignidade —, sou um homem de idade madura. Por que perderia meu tempo com tais frivolidades?

Leonie retirou-se com uma pequena risada.

Poirot caminhou pela biblioteca com uma expressão grave no rosto. Por fim, disse em voz alta:

— E agora, vamos a Lady Julia. O que terá ela a dizer?

Lady Julia entrou com ar de dignidade serena. Saudou Poirot com a cabeça, aceitou a cadeira que ele lhe oferecia e falou com voz bem modulada:

— Lord Mayfield me disse que o senhor tinha algumas perguntas a fazer.

— Sim, madame, sobre a noite passada.

— E o que o senhor quer saber sobre ontem à noite?

— O que se passou quando a senhora acabou seu jogo de bridge?

— Meu marido achou que era tarde demais para começar outra partida, e fui para meu quarto.

— E então?

— Então fui dormir.

— Só?

— Só. Sinto que não tenha algo de interessante para contar ao senhor. Quando houve esse... esse roubo?

— Pouco depois de a senhora subir.

— Compreendo. E o que foi roubado?

— Documentos particulares, madame.

— Documentos importantes?

— Muito importantes.

— Eram... valiosos?

— Tinham um grande valor em dinheiro, se é o que a senhora quer saber.

— Compreendo.

— E seu livro, madame?

— Meu livro? — Ela parecia perplexa.

— Sim. Mrs. Vanderlyn me disse que a senhora desceu de novo para apanhar um livro.

— Ah, sim, claro. Tem razão.

— Então a verdade é que a senhora não foi direto para a cama quando se recolheu a seu quarto, não? A senhora voltou à sala de visitas, não?

— É verdade. Tinha me esquecido.

— Enquanto apanhava seu livro, ouviu alguém gritar?

— Não... sim... Acho que não.

— Certamente a senhora não pode deixar de ter ouvido o grito quando voltou à sala de visitas.

Lady Julia levantou a cabeça e disse com firmeza:

— Não ouvi o que quer que seja.

Poirot ergueu as sobrancelhas, mas não disse uma palavra sequer.

O silêncio começou a ficar pesado. Lady Julia perguntou bruscamente:

— E o que está sendo feito?

— Sendo feito? Não sei aonde a senhora quer chegar, madame.

— Quero dizer, sobre o roubo. A polícia deve estar fazendo balançou coisa.

Poirot balançou a cabeça.

— A polícia não foi chamada. Eu fui encarregado do caso. Ela o olhava fixamente, com nervosismo na face pálida.

Seus olhos escuros procuravam penetrar na impassibilidade de Poirot.

Finalmente, baixou o olhar, derrotada.

— O senhor não pode me dizer o que está fazendo para solucionar o caso?

— Só posso lhe assegurar, madame, que não estou deixando pedra sobre pedra.

— Para pegar o ladrão... ou recuperar os papéis?

— O principal é recuperar os papéis.

Os modos de Lady Julia se alteraram. Ela agora parecia indiferente.

— Creio que o senhor tem razão. Houve outro silêncio.

— O senhor ainda precisa de mim, Monsieur Poirot?

— Não, madame. Não desejo tomar mais o seu tempo.

— Obrigada.

Poirot abriu a porta. Lady Julia saiu sem olhar para ele. O detetive voltou à lareira e começou a rearrumar os diversos ornamentos sobre o consolo. Ainda estava entregue a esta tarefa quando Lord Mayfield entrou pela porta envidraçada.

— E então?

— Acho que tudo está correndo bem. As peças estão se ajustando como eu pensava.

Lord Mayfield olhava-o com atenção.

— O senhor me parece contente.

— Não propriamente contente, mas satisfeito.

— Não compreendo, Monsieur Poirot.

— Não sou o charlatão que o senhor pensa.

— Eu nunca disse...

— Nunca disse, mas pensou. Não faz mal, não me ofendi. Às vezes sou obrigado a adotar uma certa pose.

Lord Mayfield olhava-o com certa suspeita. Hercule Poirot era um homem que ele não conseguia compreender. Sentia vontade de menosprezá-lo, mas algo lhe dizia que aquele homenzinho estranho não era tão inútil quanto parecia. Charles McLaughlin sempre soubera reconhecer a capacidade alheia.

— Bem — acabou por dizer —, estamos em suas mãos. O que devemos fazer agora?

— O senhor pode livrar-se de seus hóspedes?

— Acho que poderia dar um jeito. Posso dizer que tenho de ir a Londres por causa deste roubo. Eles provavelmente se disporão a voltar para casa.

— Ótimo. Veja se consegue arranjar as coisas dessa forma.

Lord Mayfield hesitou.

— O senhor não acha que talvez...

— Tenho certeza de que essa é a melhor coisa a fazer.

— Se o senhor quer mesmo assim...

E saiu da biblioteca.

VIII

Os hóspedes saíram depois do almoço. Mrs. Vanderlyn e Mrs. Macatta iriam de trem; os Carrington, em seu carro particular. Poirot estava em pé no hall quando Mrs. Vanderlyn despediu-se amavelmente de seu anfitrião.

— Lastimo imensamente o que aconteceu e espero que tudo ainda acabe bem. Pode ter certeza que não direi uma palavra sobre o que se passou.

Ela lhe deu um aperto de mão e dirigiu-se ao Rolls-Royce que esperava para levá-la à estação. Mrs. Macatta já estava no carro. Sua despedida fora curta e pouco calorosa.

ASSASSINATO NO BECO 117

Mas, de repente, Leonie, que começara a se sentar ao lado do chofer, saltou correndo.

— Está faltando uma das maletas de madame — exclamou. Houve uma busca apressada. Por fim, Lord Mayfield descobriu a maleta perto de uma arca de carvalho, num canto escuro. Leonie deu um pequeno grito de alegria e voltou ao carro.

Mas foi a vez de Mrs. Vanderlyn pôr a cabeça para fora da janela.

— Lord Mayfield, Lord Mayfield! O senhor se incomodaria de pôr esta carta em sua caixa postal para mim? Se eu deixar para colocá-la no correio, na cidade, vou acabar esquecendo-me. As cartas sempre ficam dias e dias em minha bolsa.

Sir George Carrington olhava nervosamente o relógio. Era um maníaco por pontualidade.

— Elas estão se arriscando — murmurou. — Se não andarem depressa, vão acabar perdendo o trem.

Sua mulher disse com irritação:

— Deixe de implicância, George. Afinal de contas é o trem delas, não o nosso.

Ele a olhou com ar de censura.

O Rolls-Royce finalmente partiu, enquanto Reggie chegava com o Morris da família.

— Tudo pronto, papai — chamou.

Os funcionários começaram a pôr a bagagem dos Carrington na mala.

Poirot aproximou-se do carro, aparentemente interessado em observar a arrumação.

De repente ele sentiu uma mão pousar em seu braço. Era Lady Julia, que parecia agitada.

— Monsieur Poirot, preciso falar com o senhor... imediatamente.

E dizendo isso conduziu-o a uma saleta, fechando a porta.

— É verdade o que o senhor disse? Que a descoberta dos papéis é o que mais interessa a Lord Mayfield?

118   AGATHA CHRISTIE

Poirot olhou-a com curiosidade.

— É verdade, madame.

— Se os papéis lhe fossem entregues, o senhor os daria de volta a Lord Mayfield sem fazer perguntas? O caso estaria encerrado?

— Creio que não compreendo bem aonde a senhora quer chegar.

— Acho que o senhor compreende sim. Estou pedindo que a identidade do ladrão continue em segredo se os papéis forem devolvidos.

Poirot perguntou:

— E quando seria isso, madame?

— Dentro de, no máximo, 12 horas.

— A senhora garante que os papéis serão devolvidos nesse prazo?

— Garanto. E o senhor garante que o caso será encerrado?

Ele respondeu afinal, em tom solene:

— Sim, madame, garanto.

— Então está combinado.

Ela saiu abruptamente. Momentos depois, Poirot ouviu o carro afastar-se.

Atravessou o hall e encaminhou-se para o escritório. Lord Mayfield ergueu o olhar ao ouvi-lo entrar.

— E então?

Poirot abriu os braços.

— O caso está encerrado, Lord Mayfield.

— O quê?

Poirot contou-lhe o que acabara de se passar com Lady Julia.

Lord Mayfield encarava-o estupefato.

— Mas o que quer dizer isso? Não compreendo.

— É bastante claro, não? Lady Julia sabe quem roubou o projeto.

— O senhor está talvez insinuando que ela mesma o roubou?

ASSASSINATO NO BECO 119

— De forma alguma. Lady Julia pode ser viciada no jogo, mas não é uma ladra. Se ela se ofereceu para devolver os papéis, é porque está convencida de que foram levados por seu marido ou por seu filho. Sir George não pode ser, porque estava com o senhor no terraço. Isso nos deixa o filho. Acho que posso reconstruir os acontecimentos de ontem à noite com grande precisão. Lady Julia foi ao quarto de seu filho e encontrou-o vazio. Veio então ao andar de baixo procurá-lo e não o encontrou. Esta manhã, ao ouvir falar do roubo, ouviu também seu filho dizer que foi *direto para a cama*. Ela sabe que é mentira. E sabe mais ainda. Sabe que ele precisa muito de dinheiro e tem um caráter fraco. Reparou em seu deslumbramento com Mrs. Vanderlyn durante o jantar e, mais tarde, na mesa do jogo. Tudo lhe parece claro — Mrs. Vanderlyn convenceu Reggie a roubar o projeto. Mas Lady Julia está decidida a intervir. Vai apertar Reggie, tomar-lhe os papéis e devolvê-los.

— Mas é impossível! — exclamou Lord Mayfield.

— Sim, é impossível, mas Lady Julia não sabe. Ela não sabe que eu, Hercule Poirot, sei. Ela não sabe que seu filho não estava roubando projeto algum ontem à noite, mas sim, namorando a criada francesa de Mrs. Vanderlyn.

— Ela está completamente iludida!

— Exatamente.

— E o caso, portanto, não está encerrado!

— Está sim, está encerrado. *Eu, Hercule Poirot, sei a verdade.* O senhor não acreditou em mim ontem quando lhe disse que eu sabia onde o projeto estava. Mas eu sabia. Ele estava bem perto de nós.

— Onde?

— No seu bolso.

Houve um silêncio. Depois Lord Mayfield desabafou:

— O senhor sabe o que está falando, Monsieur Poirot?

— Sei. Sei que estou falando com um homem muito inteligente. Desde o começo, achei estranho que o senhor, sabidamente míope, tivesse tanta certeza de ter visto uma sombra saindo da janela. O senhor queria que todos acreditássemos pois aquela solução lhe era conveniente. Mas por quê? Mais tarde, fui eliminando um a um os diversos suspeitos. Mrs. Vanderlyn estava no andar de cima, Sir George estava no terraço com o senhor, Reggie Carrington estava com a criada na escada, Mrs. Macatta estava inocentemente em seu quarto (é contíguo ao do caseiro e ela roncou a noite toda), Lady Julia estava visivelmente desconfiada de seu filho. Só restavam duas possibilidades: ou Carlile não pusera o projeto na mesa e sim em seu bolso (e isso não seria razoável, porque, como o senhor mesmo disse, ele poderia facilmente ter tirado uma cópia), ou então... ou então o projeto estava em cima da escrivaninha quando o senhor entrou na sala, e o único lugar para onde ele poderia ter ido parar era em seu bolso. Tudo se explicava — sua insistência em ter visto uma pessoa, sua certeza na inocência de Carlile, sua pouca inclinação a me chamar para investigar o caso.

"Apenas uma coisa me intrigava. O motivo. Eu estava convencido de que o senhor era um homem íntegro e honesto, e isso se fazia bem visível em sua preocupação de não incriminar alguém pelo roubo. Era também evidente que o roubo do projeto poderia prejudicar sua carreira. Por que então este roubo injustificável? Mas finalmente atinei para a resposta. A grande crise em sua vida, há alguns anos, com o primeiro-ministro garantindo à opinião pública que o senhor não conduzira negociação alguma com a potência estrangeira. Suponho que não fosse completamente verdade, que houvesse alguma prova — uma carta, talvez — mostrando que o senhor tinha feito aquilo que negava. Sua negativa se impunha no interesse nacional, mas o homem comum não compreenderia. E, assim, agora que a hora de se tornar primeiro-ministro se aproxima, um eco do passado voltaria para arruinar tudo."

Poirot fez uma pausa e continuou:

Assassinato no beco

121

"Desconfio que a carta ficou em poder de um certo governo e que esse governo acenou-lhe com um negócio: a carta em troca do projeto do bombardeiro. Outros homens teriam recusado, mas o senhor aceitou. Mrs. Vanderlyn seria o intermediário e veio aqui para concluir a troca. O senhor se traiu quando me disse não ter um estratagema especificamente concebido para desmascará-la. Com isso, sua justificativa para a presença de Mrs. Vanderlyn nesta casa se tornava muito fraca. O senhor planejou o roubo. Fingiu ter visto o ladrão no terraço, afastando assim as suspeitas de Carlile. Mesmo que ele não tivesse saído do escritório, a mesa era tão perto da porta envidraçada que um ladrão poderia ter levado o projeto enquanto Carlile estava de costas, ocupado com o cofre. O senhor se encaminhou para a escrivaninha, pôs o projeto no bolso e o deixou lá até o momento em que, como combinara com Mrs. Vanderlyn, colocou-o em sua maleta. Em troca, ela lhe entregou a carta fatídica, disfarçada em carta dela mesma que temia esquecer de pôr no correio."

Poirot parou.

Lord Mayfield disse:

— Seu conhecimento sobre o caso não poderia ser mais completo, Monsieur Poirot. O senhor deve achar-me um patife inominável.

Poirot fez um gesto rápido.

— Não, não, Lord Mayfield. Eu acho que, como já disse, o senhor é um homem muito inteligente. Compreendi tudo ontem à noite enquanto conversávamos aqui mesmo no escritório. O senhor é um excelente engenheiro. Por isso haverá uma ou duas alterações sutis no projeto roubado, alterações feitas com tanta perícia que ninguém compreenderá por que o bombardeiro não funciona tão bem quanto deveria. Tenho certeza de que a potência estrangeira de que estamos falando vai ter um grande desapontamento com o novo aparelho...

Houve outro silêncio, e a seguir Lord Mayfield falou:

— O senhor é extremamente sagaz, Monsieur Poirot. Peço-lhe apenas que acredite numa coisa. Tenho confiança em mim mesmo. Sei que sou o homem indicado para conduzir o Reino Unido em meio à crise que se avizinha. Se eu não acreditasse, com sinceridade, ser o homem de quem meu país precisa, não teria feito o que fiz, conciliando interesses e salvando minha carreira por meio de um ardil.

— Meu caro Lord Mayfield — respondeu Poirot —, se o senhor não soubesse conciliar interesses, o senhor não poderia ser um político!

O espelho do morto

I

O apartamento era moderno, assim como os móveis, com poltronas quadradas e cadeiras de espaldar reto. Numa escrivaninha colocada em frente à janela sentava-se um homem pequeno de meia-idade. Sua cabeça era praticamente a única coisa que não era quadrada em todo o aposento: ao contrário, era bem oval.

Monsieur Hercule Poirot lia uma carta:

Hamborough Close
Hamborough St. Mary
Wetshire.
24 de setembro de 1936
Monsieur Hercule Poirot,
escrevo-lhe a propósito de um assunto que exige grande discrição e habilidade. Tenho boas referências de seu trabalho e, portanto, decidi entregar-lhe o caso. Tenho motivos para acreditar que esteja sendo vítima de uma fraude, mas, por razões de família, prefiro não chamar a polícia. Estou tomando algumas providências por conta própria, mas o senhor deve estar preparado para pôr-se imediatamente a caminho, tão logo receba um telegrama. Ficaria agradecido se o senhor não respondesse a esta carta.

Atenciosamente,
Gervase Chevenix-Gore.

As sobrancelhas de Monsieur Hercule Poirot começaram a erguer-se, e levantaram-se tanto que quase se juntaram ao cabelo.

— E quem, afinal de contas, é este Gervase Chevenix--Gore? — perguntou ele às paredes.

124 AGATHA CHRISTIE

Em busca da resposta, encaminhou-se a uma estante, de onde tirou um livro grande e grosso.

Poirot encontrou facilmente o que queria.

Chevenix-Gore, Sir Gervase Francis Xavier, 10° baronete, título criado em 1864; ex-capitão do 17° Regimento de Lanceiros; nascido no dia 18 de maio de 1878; filho mais velho de Sir Chevenix-Gore, 9° baronete, e de Lady Claudia Bretherton, segunda filha do oitavo conde de Wallingford. Sucedeu o pai em 1911; casou-se, em 1912, com Vanda Elizabeth, filha mais velha do coronel Frederick Arbuthnot (veja verbete próprio); educado em Eton. Lutou na guerra de 1914-1918. Hobbies: viagens, caçadas. Endereços: Hamborough St. Mary, Westshire, e Lowndes Square 218, S.W.1. Clubes: Cavalry, Travellers.

Poirot balançou a cabeça um tanto ou quanto insatisfeito. Por algum tempo ficou assim, imerso em seus pensamentos, mas, depois, dirigiu-se à escrivaninha, abriu uma gaveta e de lá tirou uma pilha pequena de cartões de visita.

Sua face alegrou-se.

— *A la bonne heure!* Era do que eu precisava. Ele vai estar lá com certeza.

Poirot foi saudado por uma duquesa com sotaque afetado.

— Alegro-me que o senhor tenha podido vir, Monsieur Poirot. É um grande prazer.

— O prazer é meu, madame — murmurou Poirot, com uma mesura.

Ele driblou habilmente personalidades importantes — um famoso diplomata, uma atriz não menos famosa, um par do reino muito conhecido — e, por fim, encontrou quem procurava: Mr. Satterthwaite, personagem habitual das festas elegantes.

Mr. Satterthwaite chilreou amavelmente.

— Nossa querida duquesa... suas festas são ótimas... Ela tem tanta *categoria*, se o senhor sabe o que quero dizer. Vimo-nos muito na Córsega, há alguns anos... A conversação de Mr. Satterthwaite era sempre assim, cheia de referências a seus amigos nobres. *É possível* que, alguma vez na vida, tenha encontrado prazer na companhia de meros mortais, mas nesse caso não chegava a mencionar o fato. Porém, descrevê-lo como um mero esnobe era fazer-lhe injustiça. Mr. Satterthwaite era um observador agudo da natureza humana, e poucos estudiosos conheceriam tão bem quanto ele o mundo da aristocracia britânica.

— Meu caro Poirot, há muito tempo não nos vemos. Sempre considerei um privilégio ter podido acompanhar seu trabalho em Crow's Nest. Desde então passei a me considerar também uma espécie de detetive. Por coincidência, vi Lady Mary ainda na semana passada. Uma criatura encantadora... verbenas e alfazema!

Mr. Satterthwaite ocupou-se ainda de um ou dois escândalos recentes — as escapadas da filha de um conde, a conduta lamentável de um visconde —, até que Poirot conseguiu introduzir na conversa o nome de Gervase Chevenix-Gore.

A reação de Mr. Satterthwaite foi imediata.

— Ah, eis aí uma personalidade realmente curiosa. Seu apelido é o "Último dos Baronetes".

— Perdão, mas não entendo.

Mr. Satterthwaite mostrou-se afavelmente indulgente ante a pouca compreensão de um estrangeiro.

— É uma piada, Monsieur Poirot, uma *piada*. Não quis dizer que ele seja realmente o último baronete na Inglaterra, mas sim, que ele representa o fim de uma era, o último dos baronetes temerários e insensatos, tão populares nos romances do século passado. Um desses tipos que fazem apostas malucas e as ganham.

Passou então a dar sua explicação em detalhes. Quando moço, Gervase Chevenix-Gore dera a volta ao mundo num barco a vela; participara de uma expedição ao Polo Norte; desafiara um par do reino a um duelo; apostara como poderia subir as escadarias de uma mansão em sua égua favorita — e vencera; saltara de um camarote ao palco em que uma atriz famosa representava e a carregou consigo à vista de todo o público.

As histórias a seu respeito eram infindáveis.

— É uma família muito antiga — continuou Mr. Satterthwaite. — Sir Guy de Chevenix participou da primeira Cruzada. Mas agora parece que a linhagem vai se extinguir. O velho Gervase é o último dos Chevenix-Gore.

— Será que ele anda em dificuldades financeiras?

— De modo algum. Gervase é fabulosamente rico. Tem muitas propriedades, minas de carvão, e, quando jovem, comprou por uma ninharia uma mina de pedras preciosas no Peru, ou outro lugar qualquer da América do Sul, que mostrou mais tarde ser riquíssima. Um homem extraordinário. Sempre teve sorte onde quer que se metesse.

— Ele já está ficando velho, não?

— Sim, pobre Gervase — concordou Mr. Satterthwaite com um suspiro, enquanto balançava a cabeça. — A maioria das pessoas diria que ele é também doido varrido e, de certa forma, é verdade. Ele é doido — não no sentido puramente clínico da palavra —, mas no sentido de ser diferente dos outros homens. Gervase sempre teve uma personalidade extremamente original.

— E a originalidade transforma-se em excentricidade à medida que os anos passam, não?

— Exato. Foi isso mesmo o que ocorreu com o pobre Gervase.

— Ele tem uma ideia exagerada de sua própria importância?

— Muito. Eu diria que para Gervase o mundo se divide em duas espécies de seres: os Chevenix-Gore e os outros.

— Um grande orgulho da família?

— Sim. Os Chevenix-Gore são todos arrogantes como o diabo. Fazem sua própria lei. E Gervase, talvez por ser o último, sempre foi o pior. Quem o ouve falar é capaz de pensar que ele é a reencarnação do próprio Deus.

Poirot sacudiu a cabeça pensativamente.

— Sim, foi o que pensei. O senhor sabe, recebi uma carta dele. Uma carta muito estranha. Uma carta que não pedia nem mandava: exigia.

— Uma ordem de comando — disse Mr. Satterthwaite com uma pequena risada.

— Exatamente. Não deve ter passado pela cabeça desse Sir Gervase que eu, Hercule Poirot, sou um homem importante, um homem ocupadíssimo! Não parece ter-lhe ocorrido que dificilmente eu poria tudo de lado para lhe obedecer, correndo como um cão obediente, como um joão-ninguém, agradecido por ter recebido uma incumbência!

Mr. Satterthwaite mordeu os lábios, num esforço para não rir. É provável que tenha achado difícil, em matéria de megalomania, estabelecer uma diferença entre Hercule Poirot e Gervase Chevenix-Gore.

Murmurou, então:

— Mas o motivo da convocação deve ter sido urgente...

— De modo algum — disse Poirot, gesticulando indignado. — Dizia-me apenas que estivesse à sua disposição, caso ele precisasse de mim. *Enfin, je vous demande!*

Novamente as mãos se agitaram no ar, expressando melhor do que quaisquer palavras o senso de dignidade ultrajada de Monsieur Hercule Poirot.

— Devo concluir então — continuou Mr. Satterthwaite — que o senhor recusou?

— Ainda não tive oportunidade — respondeu Poirot.

— Mas vai recusar?

O rosto de Poirot assumiu uma expressão diferente. Suas sobrancelhas se franziram em sinal de completa perplexidade.

— Como posso explicar-me? Meu primeiro instinto foi de fato recusar. Mas agora já não sei... Há ocasiões em que a gente tem um pressentimento... E pressinto alguma coisa neste caso.

Mr. Satterthwaite recebeu esta afirmativa com toda naturalidade.

— Sim? Muito interessante...

— Me parece — continuou Hercule Poirot — que um homem como Sir Gervase poderia ser extremamente vulnerável...

— Vulnerável? — interrompeu Mr. Satterthwaite, não escondendo sua surpresa. Vulnerável não era uma palavra que normalmente associaria a Gervase Chevenix-Gore. Mas Mr. Satterthwaite era um homem sagaz e acabou por dizer:

— Acho que compreendo o que o senhor quer dizer.

— Um homem como Sir Gervase — continuou Poirot — anda em uma armadura, e que armadura! A armadura dos cruzados não faria frente à dele... É uma armadura de arrogância, de orgulho, de amor-próprio. Esta armadura é uma proteção para as flechas e golpes da vida diária, que nela ricocheteiam inofensivamente. Mas, por isso mesmo, ela é perigosa, pois, *às vezes, um homem de armadura pode nem perceber que está sendo atacado.* Ele demorará a ver, demorará a ouvir... demorará mais ainda a sentir.

Fez uma pausa e depois perguntou em outro tom de voz:

— Quem são os membros da família deste Sir Gervase?

— Bem, há sua mulher, Vanda. Ela era uma Arbuthnot... uma moça muito bonita. E ainda tem muita beleza. Mas é extremamente distraída, desligada das coisas. Muito dedicada a Gervase. Ouvi dizer que ultimamente anda com mania de ocultismo — usa amuletos, escaravelhos, e parece ter-se convencido de que é a reencarnação de uma rainha egípcia. Depois há Ruth, a filha adotiva do casal. Eles não tiveram herdeiros, o senhor compreende. Ruth é muito atraente, no estilo moderno. Esta é toda a família, com exceção, é claro, de Hugo Trent. Ele é o sobrinho de Gervase. Pamela Chevenix-Gore casou-se com Reggie Trent, e Hugo foi o único filho da união. Hugo é órfão. Não pode herdar o título, claro, mas acho que deve ficar com a maior parte do dinheiro de Gervase. É um rapaz bonitão, está no Regimento da Rainha.

Poirot balançou a cabeça pensativamente. Depois perguntou:

— Deve ser um desgosto para Sir Gervase não ter um filho homem que herde o título, não?

— Acho que sim.

— Ele não gostaria de perpetuar a família?

— Gostaria.

Mr. Satterthwaite ficou calado algum tempo, intrigado com as perguntas de Poirot. Finalmente arriscou:

— O senhor vê alguma razão suficientemente forte para ir a Hamborough Close?

Poirot voltou-se lentamente.

— Não. Não vejo razão alguma. Mas mesmo assim acho que vou.

II

Hercule Poirot estava sentado à janela de um trem de primeira classe que corria veloz pelos campos ingleses.

Puxou do bolso um telegrama bem dobrado e pôs-se a lê-lo mais uma vez, com ar meditativo:

Tome o trem das 16h30 na estação de St. Pancras e dê ordens ao condutor para fazer uma parada em Whimperley.
Chevenix-Gore.

Poirot dobrou o telegrama e guardou-o de volta no bolso.

O condutor fora amável. "O cavalheiro vai para Hamborough Close? Claro, sem dúvida. O trem sempre para em Whimperley para os hóspedes de Sir Gervase Chevenix-Gore." Devia ser alguma prerrogativa especial de Sir Gervase.

Desde então, o condutor apareceu duas vezes — da primeira para assegurar Poirot que estava fazendo o possível para deixá-lo sozinho no compartimento, e da segunda para anunciar que o expresso estava com um atraso de dez minutos.

O trem tinha chegada prevista para 19h50, mas foi só às 20h02 que Hercule Poirot desembarcou na plataforma da pequena estação, colocando na mão do condutor a meia coroa que ele obviamente esperava.

Ouviu-se um apito e o Expresso do Norte pôs-se de novo em movimento. Um chofer alto, de uniforme verde-escuro, encaminhou-se para Poirot.

— Monsieur Poirot? Indo para Hamborough Close?

Pegou a pequena mala do detetive e abriu caminho em direção a um grande Rolls-Royce estacionado em frente. Lá chegando, abriu a porta e acomodou o passageiro, tendo o cuidado de lhe colocar uma grande manta de peles sobre os joelhos.

A viagem durou cerca de dez minutos, em uma estrada sinuosa pelos campos, até que Poirot se viu passando por um grande portão flanqueado por enormes grifos de pedra.

Seguiram através de um pequeno bosque até alcançarem a casa. A porta estava aberta, e um mordomo imponente apareceu de imediato no primeiro degrau.

— Monsieur Poirot? Por aqui, senhor.

Ele conduziu o visitante ao longo do hall e abriu uma porta à direita.

— Monsieur Hercule Poirot — anunciou.

Havia um grupo de pessoas na sala, todas vestidas em traje formal, e Poirot percebeu de imediato que sua presença não era aguardada. Todos os olhos se voltaram para ele com uma autêntica expressão de surpresa.

Finalmente uma mulher alta, com cabelos escuros já com fios grisalhos, adiantou-se hesitante.

Poirot curvou-se enquanto lhe tomava a mão.

— Peço desculpas, madame. Infelizmente o trem atrasou.

— Não se preocupe — respondeu Lady Chevenix-Gore vagamente. Seus olhos continuavam a analisá-lo, sem compreender direito. — Não se preocupe, senhor... senhor...

— Hercule Poirot.

Ele falou em tom alto e claro e percebeu que atrás de si alguém abafava uma expressão de espanto.

Ao mesmo tempo, Poirot compreendia que seu anfitrião não se encontrava na sala. Perguntou, amavelmente:

— A senhora sabia que eu viria, madame?

— Ah, sim, sim... — seus modos não eram muito convincentes. — Eu acho... quero dizer... estou um pouco confusa, Monsieur Poirot. Meu problema é que me esqueço de tudo.

Sua voz não escondia um certo prazer melancólico pelo fato. Ela prosseguiu.

— As pessoas vivem a me dizer coisas e pensam que eu as gravei, mas elas me parecem entrar por um ouvido e sair pelo outro. Simplesmente se evaporam, como se jamais tivessem sido ditas.

Depois, como se cumprisse um dever há muito esquecido, relanceou os olhos ao redor e murmurou:

— Com certeza o senhor já conhece todo o mundo.

Era evidente que Poirot não conhecia e que Lady Chevenix-Gore apenas poupava-se o incômodo de lembrar os nomes das demais pessoas presentes.

Como quem faz um esforço supremo, acrescentou:

— Minha filha... Ruth.

A moça era também alta e morena, mas de um tipo bem diferente. Ao contrário de Lady Chevenix-Gore, tinha um nariz bem esculpido, ligeiramente aquilino, e a linha do queixo bem definida. Seu cabelo preto estava penteado para trás, terminando numa massa de pequenos cachos. Sua pele era rosada e brilhante, com pouca necessidade de maquiagem. Hercule Poirot considerou-a uma das jovens mais bonitas que já vira.

Ele podia também perceber que ela era inteligente, além de entrever certas características de orgulho e temperamento. A voz dela tinha um certo ritmo arrastado que lhe pareceu um pouco forçado.

— Que prazer termos a companhia de Monsieur Hercule Poirot. Aposto como esta surpresa nos foi preparada pelo velho.

— A senhorita então não sabia que eu vinha? — perguntou Poirot rapidamente.

— Nem desconfiava. Por isso vou ter de esperar até depois do jantar para pegar meu livro de autógrafos.

Um gongo soou no hall, e a seguir o mordomo abriu a porta, anunciando.

— O jantar está servido.

E então uma coisa curiosa aconteceu, um pouco antes de ele acabar de falar. Por uma fração de segundo, sua imponente aparência deixou entrever, por trás da máscara, uma expressão muito humana de incredulidade.

A metamorfose foi tão rápida e a máscara de criado bem treinado voltou tão rapidamente que ninguém poderia ter notado a não ser que o estivesse observando com atenção. Poirot contudo o *observara*.

O mordomo hesitou na soleira da porta. Seu rosto não mais deixava transparecer suas emoções, mas ele continuava tenso.

Lady Chevenix-Gore disse, um pouco desconcertada:

— Oh, meu Deus... é incrível. Nem sei o que fazer.

Ruth explicou a Poirot:

— Toda esta consternação, Monsieur Poirot, se deve ao fato de que é a primeira vez, em mais de vinte anos, que meu pai se atrasa para o jantar.

— É inacreditável — lamuriou-se Lady Chevenix-Gore. Gervase nunca...

Um homem já idoso, mas de porte militar ainda ereto, aproximou-se dela, rindo com prazer.

— Afinal pegamos o velho Gervase. Juro que de uma boa gozação ele não vai escapar. Será que foi o botão do colarinho? Ou Gervase é imune a essas pequenas aflições humanas?

Lady Chevenix-Gore continuava a dizer, em voz baixa e intrigada:

— Mas Gervase *nunca* se atrasa.

A consternação causada por um *contratempo* tão pequeno chegava a parecer tola. Mas para Poirot *não* era tola... Por trás dela, sentia nervosismo, talvez até medo. E ele também achava estranho que Gervase Chevenix-Gore não tivesse aparecido para receber o hóspede que convocara tão misteriosamente.

Mas, por enquanto, era evidente que ninguém sabia o que fazer. Criara-se uma situação que ninguém sabia como resolver.

Finalmente Lady Chevenix-Gore tomou a iniciativa — se é que se pode falar de iniciativa em se tratando dela. Seus modos continuavam extremamente hesitantes.

— Snell — perguntou ela —, o seu patrão...?

Ela não terminou a frase. Limitou-se a olhar para o mordomo com expectativa.

Snell, que evidentemente estava acostumado aos estranhos métodos de sua patroa, respondeu com presteza:

— Sir Gervase desceu às 19h55, senhora, e dirigiu-se diretamente ao escritório.

— Ah, sim... — Lady Chevenix-Gore estava de boca aberta, os olhos perdidos na distância. — Você não acha... quero dizer... ele ouviu o gongo?

— Deve ter ouvido, senhora, pois o gongo está do lado de fora da porta. Eu não sabia que Sir Gervase ainda estava no escritório, caso contrário, teria dito diretamente a ele que o jantar estava servido. Devo fazer isto agora?

Lady Chevenix-Gore agarrou-se à sugestão com grande alívio.

— Ah, sim, claro, Snell. Imediatamente. Muito obrigada. Quando o mordomo deixou a sala, ela comentou:

— Snell é uma preciosidade. Não sei o que faria sem ele na casa.

Alguém murmurou uma palavra de concordância, mas ninguém mais falou. Hercule Poirot observava-os atentamente e se convencera de que todos estavam sob grande tensão. Seus olhos mediram os presentes. Dois homens de idade, o de tipo militar que falara há pouco e um magro, seco, de cabelos grisalhos, com todo jeito de advogado. Dois rapazes, de tipos bem diversos: um com bigodes e todo ar de discreta arrogância, que ele adivinhou ser o sobrinho de Sir Gervase; o outro, com cabelos lisos penteados para trás e uma beleza um pouco vulgar, que Poirot classificou como sem dúvida pertencente a uma categoria social inferior. Havia ainda uma senhora de meia-idade com olhos inteligentes escondendo-se atrás de um *pince-nez*, e uma jovem com chamejantes cabelos ruivos.

Snell surgiu de novo à porta. Suas maneiras eram impecáveis, porém, mais uma vez sob o cuidadoso verniz de mordomo, era possível ver sinais de um ser humano estupefato.

— Perdão, minha ama, mas a porta do escritório está trancada.

— Trancada?

Era a voz de um homem, uma voz jovem, alerta, excitada. Foi o rapaz boa pinta, de cabelo liso, que falou, adiantando-se:

— Querem que eu vá ver...?

ASSASSINATO NO BECO
135

Mas Hercule Poirot já assumira o comando da situação. E o fez tão naturalmente que ninguém achou demais que este estranho, apenas recém-chegado, começasse a dar ordens.

— Venham comigo — disse ele. — Vamos todos ao escritório.

E Poirot continuou, dirigindo-se a Snell:

— Mostre-me o caminho, por obséquio.

O mordomo obedeceu. Poirot seguia um pouco atrás e os outros enfileiraram-se em sua esteira, como um bando de carneiros.

Snell conduzia o grupo pelo grande hall, passando pela escadaria, por um enorme relógio de parede e por uma pequena reentrância onde se encontrava o gongo, até que dobraram numa passagem estreita que levava a uma porta.

Neste ponto, Poirot adiantou-se a Snell e girou delicadamente a maçaneta. A porta não abria. Poirot bateu de leve, depois com mais força. Por fim, desistiu, ajoelhou-se e olhou pelo buraco da fechadura.

Vagarosamente, levantou-se e olhou a seu redor. Seu rosto estava sério.

— Cavalheiros, esta porta tem de ser arrombada imediatamente. Os dois rapazes, ambos altos e fortes, lançaram-se contra ela, mas precisaram empregar muita energia. As madeiras de Hamborough Close eram extremamente sólidas.

A fechadura acabou por ceder e a porta foi arrombada com um barulho de madeira despedaçada.

Por um momento, todos permaneceram imóveis na soleira, o olhar horrorizado. As luzes estavam acesas. Ao longo da parede esquerda havia uma grande escrivaninha em sólido mogno. Junto à mesa, com as costas voltadas para a porta, estava um homem forte, sentado numa postura meio descaída. Sua cabeça e a parte superior de seu tronco pendiam sobre o lado direito da cadeira, e sua mão direita estava caída, quase tocando o chão. Logo abaixo dela, no tapete, estava uma pistola pequena e brilhante.

Não era preciso explicar qualquer coisa. A situação era clara. Sir Gervase Chevenix-Gore tinha se matado.

III

O grupo se manteve ainda imóvel por alguns momentos. Finalmente, Poirot deu um passo à frente.

Ao mesmo tempo, Hugo Trent gesticulava, excitado.

— Meu Deus, o velho se matou.

E Lady Chevenix-Gore deixava escapar um gemido longo e estremecido.

— Oh, Gervase, Gervase!

Poirot falou com autoridade:

— Levem Lady Chevenix-Gore. Não há qualquer coisa que ela possa fazer aqui.

O velho militar obedeceu.

— Venha, Vanda. Venha, minha cara. Não há algo que você possa fazer. Está tudo acabado. Ruth, venha e tome conta de sua mãe.

Mas Ruth Chevenix-Gore tinha entrado no escritório e mantinha-se de pé ao lado de Poirot, enquanto ele se curvava para examinar o corpo do homem horripilantemente prostrado na cadeira — um corpo de proporções hercúleas, com uma barba de viking.

Ela falou em voz baixa, tensa, mas, ao mesmo tempo, curiosamente controlada:

— O senhor tem certeza de que ele... está morto?

Poirot olhou para cima.

O rosto da jovem estava dominado pela emoção, mas era uma emoção controlada que ele não chegava a compreender. Não era bem sofrimento, era quase uma espécie de excitação provocada pelo medo.

A pequena mulher com *pince-nez* murmurou:

ASSASSINATO NO BECO 137

— Sua mãe, minha querida, você não acha...

A moça ruiva gritou em voz alta e histérica:

— Então *não* foi a descarga de um carro, nem uma rolha de champanhe. Foi um *tiro* que escutamos...

Poirot virou-se e olhou-os de frente, dizendo:

— Alguém deve entrar em contato com a polícia.

Ruth Chevenix-Gore gritou impetuosamente:

— Não!

O senhor de idade que parecia advogado disse:

— É inevitável, Ruth. Você pode cuidar disso, Burrows? Hugo...

Poirot interrompeu-o, dirigindo-se ao rapaz de bigode:

— O senhor é Mr. Hugo Trent? Seria conveniente que os demais saíssem e nos deixassem a sós neste escritório.

Mais uma vez ninguém pôs em dúvida sua autoridade. O advogado conduziu os outros para fora do escritório. Poirot e Hugo Trent estavam sozinhos.

Este falou, encarando Poirot:

— Olhe aqui, *quem é* o senhor? O que o senhor está fazendo nesta casa?

Poirot tirou um cartão de visitas de seu bolso e estendeu-o ao homem.

Hugo Trent murmurou:

— Detetive particular, hein? Sim, já ouvi seu nome. Mas ainda não sei o que o senhor veio fazer *nesta casa*.

— O senhor não sabia que seu tio... Ele era seu tio, não?

Hugo relanceou o morto rapidamente.

— O velho? Sim, era meu tio.

— O senhor não sabia que ele tinha me chamado.

Hugo balançou a cabeça negativamente.

— Não tinha a menor ideia.

Sua voz demonstrava uma emoção difícil de descrever. Seu rosto parecia rígido e entorpecido — "o tipo de expressão", Poirot pensou, "que servia como uma máscara muito útil em momentos perigosos".

O detetive perguntou calmamente:

— Este lugar é Westshire, não? Conheço bem o major Riddle, o delegado local.

Hugo respondeu:

— Riddle mora a menos de um quilômetro daqui. Ele virá observar pessoalmente o que houve.

— O que seria muito bom — comentou Poirot.

Ele começou a caminhar pelo escritório. Abriu as cortinas e examinou as portas envidraçadas, forçando-as delicadamente. Estavam trancadas.

Na parede, atrás da escrivaninha, estava pendurado um espelho redondo, partido. Poirot inclinou-se e pegou um pequeno objeto.

— O que é isto? — quis saber Hugo Trent.

— A bala.

— Atravessou a cabeça dele e quebrou o espelho?

— É o que parece.

Poirot pôs a bala cuidadosamente de volta onde a encontrara. Em seguida, examinou a escrivaninha. Havia alguns papéis, cuidadosamente arranjados em pilhas. Sobre a grande folha de mata-borrão, que cobria a superfície da escrivaninha, havia um papel com a palavra DESCULPEM em letra de forma grande e tremida.

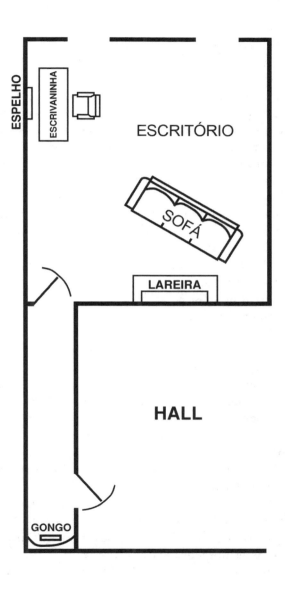

Hugo comentou:

— Ele deve ter escrito isto pouco antes de se... de se suicidar.

Poirot concordou, pensativo.

Examinou de novo o espelho estilhaçado, depois o cadáver.

Sua testa franzia-se, em sinal de perplexidade. Foi em seguida até a porta, meio pendente sobre as dobradiças. Sabia que não havia chave na fechadura, caso contrário, não poderia ter visto o interior do escritório. Não a encontrou também no chão e, finalmente, inclinou-se sobre o morto, apalpando-o rapidamente.

— Aqui está — disse. — No seu bolso.

Hugo acendeu um cigarro, enquanto falava um tanto asperamente:

— O caso parece bem simples. Meu tio trancou-se aqui, rabiscou sua despedida num pedaço de papel e deu um tiro na cabeça.

Poirot limitava-se a ouvir.

Hugo prosseguiu:

— Só não consigo compreender por que teria mandado chamá-lo. Qual a razão de sua presença aqui?

— Isso já é mais difícil de explicar. Enquanto esperamos pela chegada das autoridades, Mr. Trent, que tal se o senhor me dissesse quem são as pessoas que eu encontrei ao chegar?

— Quem são elas? — perguntou Hugo, parecendo distraído. — Ah, sim, sem dúvida. Não acha melhor nos sentarmos?

Indicou um sofá no canto extremo do escritório e prosseguiu, falando aos arrancos:

— Bem, em primeiro lugar, havia Vanda. Minha tia, como o senhor sabe. E Ruth, minha prima. Mas estas o senhor já conhece. A outra moça é Susan Cardwell. Apenas uma hóspede. Há ainda o coronel Bury. Um velho amigo da família. E Mr. Forbes — outro velho amigo, além de advogado da família. Os dois velhotes foram apaixonados por Vanda quando ela era moça e

Assassinato no beco

ainda vivem, mais ou menos, ao redor dela. São inofensivos. Depois temos Godfrey Burrows, secretário do velho, quero dizer, do meu tio, e Miss Lingard, que estava ajudando-o a escrever a história dos Chevenix-Gore. Ela faz um trabalho de pesquisa, ou coisa assim.

Poirot perguntou:

— E vocês ouviram o tiro que matou seu tio?

— Sim, ouvimos. Pensei que fosse uma rolha de champanha. Susan e Miss Lingard pensaram que fosse o escapamento de um carro — a estrada passa aqui perto, o senhor sabe.

— E quando foi isso?

— Mais ou menos às 20h10. Snell tinha acabado de soar o primeiro gongo.

— E onde vocês estavam quando ouviram o tiro?

— No hall. Começamos a rir e a discutir, tentando adivinhar de onde viera o barulho. Eu disse que tinha vindo da sala de jantar, Susan achava que era da de visitas, Miss Lingard achava que viera do segundo andar, e Snell dizia que viera da estrada, mas pelas janelas do segundo andar. E Susan perguntou: "Alguma outra hipótese?" E eu ri e respondi que sempre havia a hipótese de um crime. Agora parece uma piada de péssimo gosto.

Seu rosto contorceu-se nervosamente.

— Não ocorreu a alguém que Sir Gervase podia ter se suicidado?

— Não, claro que não.

— O senhor não faz a menor ideia do que o teria levado ao suicídio?

Hugo parecia refletir:

— Bem, talvez eu não devesse dizer isto...

— Dizer o quê?

— Bem, é difícil explicar. Eu não esperava que ele se matasse, mas, por outro lado, não estou muito surpreso. A verdade é que meu tio era completamente doido, Monsieur Poirot. Todos sabiam disso.

— E o senhor acha que isso é motivo suficiente?

142 AGATHA CHRISTIE

— Bem, há doidos que se matam.

— Uma explicação bem singela.

Hugo limitou-se a olhá-lo fixamente.

Poirot levantou-se mais uma vez e vagou pelo escritório. Era confortavelmente mobiliado num pesado estilo vitoriano. Havia estantes grandes, poltronas maciças e cadeiras de espaldar em genuíno Chippendale. Havia poucos ornamentos, mas algumas estatuetas de bronze, no console sobre a lareira, pareceram atrair Poirot. Levantou-as uma por uma, examinando-as cuidadosamente antes de pô-las de novo no lugar. Por fim, tirou algo, com a ponta da unha, da estatueta que estava na extremidade esquerda da fila.

— O que é isso? — quis saber Hugo meio desinteressadamente.

— Nada de importante. Apenas um fragmento de vidro.

Hugo continuou:

— É curioso como o espelho foi estilhaçado pelo tiro. Dizem que um espelho partido é sinal de azar. Pobre Gervase! Acho que sua sorte já tinha se estendido por muito tempo.

— Seu tio era um homem de sorte?

— E como! Sua sorte era famosa. Tudo o que ele tocava se transformava em ouro. Se apostava num matungo, o cavalo ganhava o Grande Prêmio. Se investia em uma mina abandonada, achavam ouro em seguida. Vivia se metendo em situações difíceis e escapando delas, e, mais de uma vez, sua vida foi salva por milagre. De certa forma, era uma grande figura, o senhor sabe. Já tinha visto mais coisas e lugares deste mundo que a grande maioria de seus contemporâneos.

Poirot murmurou em tom coloquial:

— O senhor tinha afeição por seu tio, Mr. Trent?

— Eu... sim, é claro — respondeu vagamente. — O senhor sabe, ele era um pouco difícil às vezes. Viver com ele não era fácil. Felizmente eu não tinha que vê-lo com frequência.

— E *ele* gostava do *senhor*?

— Não que desse para se notar muito. Para falar a verdade, quase se podia dizer que tinha ressentimentos por mim.

— E por quê, Mr. Trent?

— Bem, o senhor sabe, ele não tinha filho homem e isso o magoava muito. Ele era maníaco pelo nome Chevenix-Gore e acho que não suportava o fato de que os Chevenix-Gore iam deixar de existir. É uma família que vem desde os tempos da invasão normanda, o senhor sabe. E o velho era o último. De seu ponto de vista, era insuportável.

— O senhor não tinha a mesma opinião?

Hugo deu de ombros.

— Essas coisas me parecem fora de moda.

— Para quem irá a herança?

— Não sei. Talvez para mim, talvez para Ruth. Mas é provável que ou eu ou Ruth só entremos na posse dos bens depois da morte de Vanda.

— Seu tio não disse a alguém quais eram suas intenções?

— Bem, ele tinha uma ideia que o encantava muito.

— Qual?

— Que Ruth e eu nos casássemos.

— O que de fato seria muito conveniente.

— Muito. Mas Ruth... Ruth tem ideias muito definidas sobre o que pretende na vida. Antes de qualquer coisa, é uma moça bonita e sabe que é bonita. Não está com pressa alguma de se casar e se prender.

Poirot inclinou-se:

— Mas o senhor gostaria da ideia, Mr. Trent?

— Hoje em dia tanto faz casar-se com essa ou com aquela. O divórcio é tão fácil! Se as coisas não dão certo, começa-se tudo de novo.

A porta foi aberta; Forbes entrou acompanhado por um homem alto e bem-vestido.

O estranho cumprimentou Hugo.

— Olá, Hugo. Sinto muito pelo que aconteceu. Deve ter sido horrível para vocês.

Hercule Poirot adiantou-se.

— Como vai, major Riddle? Lembra-se de mim?

— Sim, muito.

O delegado apertou-lhe a mão e prosseguiu:

— Então, você está aqui?

Havia um tom pensativo em sua voz. Olhava Poirot com curiosidade.

IV

— E então? — perguntou o major Riddle.

Vinte minutos tinham se passado. O "então" interrogativo do delegado se dirigira ao médico legista, um senhor magro de cabelos grisalhos.

Este deu de ombros.

— Ele morreu há mais de meia hora e menos de uma. Sei que o senhor não quer se aborrecer com detalhes técnicos, por isso não vou perder tempo com isso. O tiro atravessou a cabeça e foi disparado de pouca distância da têmpora direita. A bala dilacerou o cérebro e saiu do outro lado.

— A trajetória é compatível com um suicídio?

— Completamente compatível. Em seguida, ele se afundou na cadeira e deixou cair a pistola.

— O senhor achou a bala?

— Sim — respondeu o legista, exibindo-a.

— Ótimo — disse o major Riddle. — Vamos guardá-la para compará-la com a arma. É bom saber que o caso é simples e não há dificuldades.

Hercule Poirot perguntou calmamente:

— O senhor tem certeza de que *não há* coisas estranhas, doutor?

O legista respondeu com cuidado:

ASSASSINATO NO BECO   145

— Bem, há uma coisa que poderíamos considerar um pouco estranha. Quando se matou, ele devia estar um pouco caído para a direita. De outra forma a bala teria atingido a parede *abaixo* do espelho, e não o teria quebrado.

— Uma posição pouco confortável para um suicídio, não? — observou Poirot.

O legista sacudiu os ombros.

— Bem, se você vai se matar...

Não chegou a completar a frase. O major Riddle perguntou:

— Podemos remover o cadáver?

— Ah, sim. Por ora meu serviço está concluído.

— E para o senhor, inspetor? — O major Riddle dirigia-se a um homem alto e impassível, vestido à paisana.

— Por mim também, chefe. Já temos tudo o que queríamos. As únicas impressões digitais na arma eram do morto.

— Então pode mandar tirar o corpo.

Os restos mortais de Gervase Chevenix-Gore foram removidos. Poirot e o delegado ficaram sozinhos.

— Tudo me parece bastante simples — disse Riddle.

— Portas e janelas trancadas, chave da porta no bolso do cadáver. Tudo de acordo com as regras... menos uma coisa.

— E que coisa é essa, meu amigo? — quis saber Poirot.

— *Você* — respondeu bruscamente. — O que *você* está fazendo aqui?

Poirot limitou-se a passar-lhe a carta que recebera na semana anterior, mais o telegrama que finalmente pedia seu comparecimento imediato.

— Hum — disse o delegado. — Interessante. Vamos ter de apurar isto. Eu diria que está diretamente relacionado ao suicídio.

— Estou inteiramente de acordo.

— Vamos ver quem se encontrava na casa na hora da morte.

146   AGATHA CHRISTIE

— Posso dizer-lhe os nomes de todos, pois perguntei a Mr. Trent.

Poirot repetiu as informações que já ouvira.

— O senhor sabe alguma coisa destas pessoas? — perguntou o belga.

— Sim. Naturalmente posso contar alguma coisa deles. Lady Chevenix-Gore também é bastante amalucada, mas de um jeito diferente de Sir Gervase. Os dois se gostavam muito. Ela é a pessoa mais distraída que já houve no mundo, mas, de vez em quando, surpreende a todos com uma sagacidade que ninguém pensava que ela pudesse ter. As pessoas fazem gozação dela, e eu acho que ela sabe, mas não liga. Ela é também incapaz de ver o lado cômico das situações.

— Miss Chevenix-Gore é apenas filha adotiva deles, não?

— Sim.

— Uma moça muito bonita.

— Extraordinariamente atraente. Tem feito gato e sapato dos corações masculinos aqui por perto. Finge que lhes dá bola, depois os deixa a ver navios. É uma excelente amazona.

— Por enquanto, isso é o que menos nos preocupa.

— Ah... tem razão. Bem, vejamos os demais. Conheço o velho Bury, é claro. Quase não sai daqui — uma espécie de gato domesticado. É um velho amigo da família, uma espécie de ajudante de ordem de Lady Chevenix-Gore. Acho que Sir Gervase e ele eram sócios numa companhia da qual Bury era um dos diretores.

— E Oswald Forbes, o que sabe dele?

— Tenho quase certeza de que já o encontrei antes.

— Miss Lingard?

— Nunca ouvi falar dela.

— Miss Susan Cardwell?

— Aquela moça bonita com cabelos ruivos? Tenho-a visto, nos últimos dias, em companhia de Ruth Chevenix--Gore.

— Mr. Burrows?

— Este eu conheço bem. Era o secretário de Sir Gervase. Cá entre nós, não vou muito com a cara dele. É bonitão e acho que procura tirar vantagem disso. Parece-me mau caráter.

— Ele estava trabalhando com Sir Gervase há muito tempo?

— Há uns dois anos, creio.

— E não haverá mais alguém...

Mas Poirot teve de se interromper.

Um homem alto, de cabelos louros, de terno, entrou no escritório às pressas. Estava ofegante e parecia muito perturbado.

— Boa noite, major Riddle. Ouvi um boato de que Sir Gervase deu um tiro na cabeça e vim às pressas. Snell me disse que é verdade. É incrível, não posso acreditar!

— Mas é verdade, Lake. Deixe-me apresentá-lo. Este é o capitão Lake, procurador de Sir Gervase. Monsieur Hercule Poirot, de quem você provavelmente já ouviu falar.

O rosto de Lake iluminou-se com uma incredulidade alegre.

— Monsieur Hercule Poirot? É um grande prazer conhecê-lo. Pelo menos...

O sorriso de Lake morreu em seu rosto, e ele perguntou preocupado:

— Há alguma coisa de errada no suicídio?

— Por que haveria alguma coisa "errada" no suicídio? — perguntou ansiosamente o delegado.

— Quero dizer... porque Monsieur Poirot está aqui. E... e porque tudo me parece francamente incrível.

— Não, não — tranquilizou Poirot. — Não estou aqui por causa da morte de Sir Gervase. Eu já estava presente... como hóspede.

— Ah, compreendo. É estranho que ele não tenha me dito que o senhor viria, quando examinamos umas contas hoje à tarde.

Poirot disse em tom sereno.

— O senhor já usou duas vezes a palavra "incrível" desde que aqui chegou, capitão Lake. O suicídio de Sir Gervase é uma surpresa assim tão grande para o senhor?

— Sim, muito grande. Bem sei que ele era doido, todos sabiam disso. Mas, mesmo assim, não consigo acreditar que ele achasse que o mundo pudesse existir sem a sua pessoa.

— É verdade. Eis aí uma boa observação — concordou Poirot, enquanto olhava com simpatia o rosto franco e inteligente do jovem.

O major Riddle pigarreou.

— Já que você está aqui, Lake, gostaríamos de lhe fazer algumas perguntas.

— Com todo prazer.

Lake sentou-se numa cadeira em frente aos dois homens.

— Quando você viu Sir Gervase pela última vez?

— Hoje à tarde, pouco antes das 15 horas. Havia algumas contas para examinar, além da proposta de arrendamento de uma das fazendas.

— Quanto tempo você ficou com ele?

— Mais ou menos meia hora.

— Pense cuidadosamente e diga-me se você notou alguma coisa de estranho em seu comportamento.

Lake pensou por alguns instantes.

— Não, acho que nada. Ele estava meio agitado, mas isso era comum.

— Não estava deprimido ou aborrecido?

— Não, pareceu-me bem disposto. Acho que ele vinha se distraindo muito nos últimos dias com o livro sobre a história de sua família.

— Há quanto tempo vinha escrevendo este livro?

— Cerca de seis meses.

— Foi quando Miss Lingard veio para cá?

— Não. Ela chegou há uns dois meses, quando Sir Gervase descobriu que não tinha condições de efetuar toda a pesquisa sozinho.

— E você acha que ele tinha prazer em escrever o livro?

— Sim, enorme. Ele achava que nada no mundo podia ser mais importante que sua família.

Havia um ligeiro tom de amargura na voz do jovem.

— Então, em sua opinião, Sir Gervase não tinha maiores preocupações?

Lake fez uma pausa pequena, porém perceptível, antes de responder:

— Não.

Poirot interrompeu-o subitamente:

— Sir Gervase não estaria preocupado com a filha?

— Sua filha?

— Exatamente.

— Que eu saiba, não — respondeu o rapaz, empertigado. Poirot não insistiu.

O major Riddle disse:

— Então muito obrigado, Lake. Gostaria de que você permanecesse por perto caso eu precise chamá-lo outra vez.

— Certamente — respondeu Lake, enquanto se levantava e perguntava:

— Posso ainda lhe ser útil em alguma coisa?

— Sim, mande o mordomo entrar. E talvez você pudesse também dar uma olhada em Lady Chevenix-Gore para me dizer se ela já está em condições de ser interrogada ou se continua muito perturbada.

Lake assentiu e saiu do escritório com passos firmes.

— Um rapaz simpático — comentou Poirot.

— Sim, todos gostam dele. E é muito eficiente em seu trabalho.

V

— Sente-se, Snell — disse o major Riddle amavelmente. — Tenho muita coisa para perguntar e acho que você deve ter sofrido um grande choque.

150   AGATHA CHRISTIE

— Sem dúvida, senhor. Muito obrigado, senhor — Snell sentou-se com tal discrição que era como se continuasse de pé.

— Você trabalha aqui há muito tempo?

— Há 16 anos, desde que Sir Gervase resolveu instalar-se aqui, por assim dizer.

— Ah, sim, claro, seu patrão foi um grande viajante quando moço.

— Exatamente, senhor. Ele participou de expedições ao Polo Norte e a muitos outros lugares interessantes.

— Agora, Snell, pode dizer-me quando viu seu patrão pela última vez?

— Bem, eu estava na sala de jantar, senhor, cuidando dos últimos detalhes na mesa. A porta do hall estava aberta, e vi quando Sir Gervase desceu as escadas, cruzou-o e dirigiu-se ao escritório.

— A que horas foi isso?

— Pouco antes das oito. Talvez às 19h55.

— E foi a última vez que o viu?

— Foi.

— Você ouviu um tiro?

— Ouvi sim, senhor, mas na hora não pensei que fosse um tiro. Quem teria pensado?

— O que pensou que fosse?

— Pensei que fosse um carro, senhor. A estrada passa bem perto do muro de nosso parque. Ou talvez um tiro nas matas — algum caçador furtivo, quem sabe? Mas nunca me ocorreu...

O major Riddle interrompeu-o:

— A que horas foi isso?

— Foi exatamente às 20h08, senhor.

— Como você pode saber com tanta certeza?

— Porque eu tinha acabado de soar o primeiro gongo, senhor.

— O primeiro gongo?

— Sim, senhor. Por ordens de Sir Gervase, eu sempre soava um primeiro gongo exatamente sete minutos

ASSASSINATO NO BECO 151

antes do gongo para o jantar. Sir Gervase fazia questão
absoluta que todos estivessem reunidos na sala de visitas
quando o segundo gongo soasse. Assim que eu dava o
segundo alarme, eu ia à sala de visitas, anunciava que o
jantar estava pronto, e todos se dirigiam à mesa.

— Começo a compreender melhor — interrompeu
Poirot — por que você parecia tão surpreso ao anunciar
o jantar hoje à noite. Sir Gervase estava sempre na sala
de visitas, não?

— Nunca em minha vida deixei de encontrá-lo lá,
senhor. Foi um choque. Mas eu não podia pensar...

O major Riddle interrompeu-o habilmente:

— E os outros também costumavam estar lá?

— Quem quer que se atrasasse para o jantar, senhor,
jamais era convidado outra vez para se hospedar aqui.

— Muito drástico.

— Sir Gervase, senhor, empregava um *chef-de-cuisine*
que, anteriormente, trabalhara com o imperador da
Morávia. Na opinião de Sir Gervase, o jantar era tão
importante quanto um ritual religioso.

— E o que pensavam disso os outros membros da
família?

— Lady Chevenix-Gore sempre fez muita questão de
não contrariar Sir Gervase, e nem Miss Ruth tinha coragem de se atrasar para o jantar.

— Interessante — murmurou Poirot.

— Compreendo — disse Riddle. — Quer dizer que,
como o jantar era às 20h15, você soou o gongo às
20h08, como de hábito?

— Foi assim mesmo, senhor, mas não como de hábito. O jantar era em geral às oito horas. Hoje, Sir Gervase
dera ordens de servi-lo às 20h15 porque esperava um
convidado no trem da tarde.

Snell fez uma pequena mesura para Poirot enquanto
falava.

— Seu patrão parecia preocupado ou aborrecido
quando se dirigiu ao escritório?

— Não poderia dizer-lhe, senhor. Ele estava muito longe para eu poder julgar sua expressão. Pude apenas notar seu vulto, nada mais.

— Ele estava sozinho?

— Sim.

— Alguém teria entrado no escritório em seguida?

— Também não saberia dizer, senhor. Dirigi-me em seguida à copa e fiquei lá até soar o gongo às 20h08.

— Foi então que você ouviu o tiro?

— Foi, senhor.

Poirot interrompeu-o com brandura.

— Outros ouviram o tiro, não?

— Sim, senhor. Mr. Hugo e Miss Cardwell. E Miss Lingard.

— Eles também estavam no hall?

— Miss Lingard saiu da sala de visitas e Miss Cardwell e Mr. Hugo vinham descendo as escadas.

Poirot perguntou:

— Alguém comentou o assunto?

— Sim, senhor. Mr. Hugo perguntou se íamos servir champanhe no jantar. Respondi-lhe que não, apenas xerez, vinho do Vale do Reno e vinho da Borgonha.

— Ele pensou que fosse uma rolha de champanhe?

— Sim, senhor.

— Mas ninguém levou o barulho muito a sério?

— Não, senhor. Todos se dirigiram à sala de visitas rindo e conversando.

— Onde estavam as demais pessoas da casa?

— Não saberia dizer, senhor.

— Você saberia me dizer alguma coisa sobre esta pistola?

— Sim, senhor. Pertencia a Sir Gervase. Ele a guardava sempre na gaveta de sua escrivaninha, aqui no escritório.

— Ela costumava estar carregada?

— Não saberia dizer, senhor.

— Snell, agora vou perguntar a você algo muito importante. Espero que me responda com a maior franqueza possível. *Você sabe de alguma coisa que possa ter levado seu patrão a se matar?*

— Não, senhor. Não sei de coisa alguma.

— Sir Gervase não vinha se comportando de modo estranho ultimamente? Andava preocupado? Ou abatido?

Snell tossiu embaraçado.

— Se o senhor não me leva a mal, Sir Gervase sempre teve um comportamento que outras pessoas poderiam descrever como estranho. Ele era um cavalheiro extremamente original, senhor.

— Sim, sim, já sei disso.

— As pessoas de fora dificilmente poderiam *compreender* Sir Gervase.

Snell deu à palavra "compreender" uma ênfase muito óbvia.

— Sim, sim, concordo. Mas não havia algo que até você pudesse considerar pouco comum?

O mordomo hesitou, mas acabou por dizer:

— Acho que Sir Gervase andava preocupado com alguma coisa, senhor.

— Preocupado e abatido?

— Não diria abatido, senhor. Mas preocupado, sim.

— Você teria alguma ideia sobre a causa da preocupação?

— Não, senhor.

— Teria algo a ver com alguma pessoa em particular?

— Não saberia dizer, senhor. De qualquer forma, é apenas uma impressão minha.

Poirot falou de novo.

— Você se surpreendeu com o suicídio?

— Muito, senhor. Foi um choque terrível. Nunca supus que isso pudesse acontecer.

Poirot concordou. Seu rosto tinha uma expressão meditativa. Riddle deu-lhe uma olhada rápida e, depois, dirigiu-se de novo ao mordomo.

— Obrigado, Snell, é tudo que precisamos. Você tem certeza de que não há mais alguma coisas que queira nos

154   AGATHA CHRISTIE

contar... por exemplo, algo estranho que tenha acontecido nos últimos dias?

O mordomo levantou-se, balançando negativamente
a cabeça.

— Não há qualquer coisa, senhor, nada mesmo.

— Então pode ir.

— Obrigado, senhor.

Snell dirigia-se à porta, mas, subitamente, abriu caminho e perfilou-se ereto enquanto Lady Chevenix-
-Gore entrava com seu ar eternamente vago.

Ela estava usando um vestido de seda roxo e alaran-
jado, enrolado ao corpo, em estilo oriental. Seu rosto
estava tranquilo e seus modos serenos.

— Lady Chevenix-Gore — cumprimentou o major
Riddle, enquanto se erguia.

Ela disse:

— Avisaram-me que o senhor queria falar comigo,
por isso vim vê-lo.

— Vamos a outro aposento? Este deve trazer-lhe re-
cordações extremamente dolorosas.

Lady Chevenix-Gore balançou a cabeça e sentou-se
em uma das cadeiras Chippendale, enquanto murmurava:

— Não. Que diferença faz?

— A senhora é uma mulher de grande coragem, Lady
Chevenix-Gore. Nem sei o choque terrível que deve ter
sido...

Ela o interrompeu.

— De fato, foi um choque no começo — seu tom de
voz era sereno e coloquial. — Mas, o senhor sabe, não
existe o que chamam de morte. Apenas mudança, trans-
formação.

Antes que o delegado pudesse dizer qualquer coisa,
ela acrescentou:

— Para falar a verdade, Gervase está de pé logo atrás
do senhor, quase tocando seu ombro esquerdo. Posso vê-
-lo perfeitamente.

O ombro esquerdo do major Riddle tremeu levemente. Ele olhava para Lady Chevenix-Gore com expressão
incrédula.

Ela sorriu. Um sorriso feliz e sereno.

— Vejo que o senhor não acredita. Não importa, poucos acreditariam. Para mim, o mundo sobrenatural é tão real quanto o material. Mas não se constranja. Pergunte-me o que quiser e não tenha medo de ferir meus sentimentos. Não estou abalada, porque aceito tudo como obra da fatalidade. Ninguém pode escapar de seu próprio destino. Tudo se ajusta... o espelho... tudo.

— O espelho, madame? — quis saber Poirot. Ela assentiu com a cabeça.

— O espelho, sim. Está partido, como o senhor pode ver. É um símbolo. O senhor conhece o poema de Tennyson. Gostava de recitá-lo quando garota... embora, na época, não pudesse ainda apreciar seu lado esotérico. "O espelho partiu-se de alto a baixo. A maldição desabou sobre mim — gritou a Senhora de Ascalônia." Foi o que se passou com Gervase. A maldição desabou sobre ele de repente. Acho que todas as famílias antigas sofrem de alguma forma a maldição... O espelho partiu-se... Ele sabia que estava condenado. *A maldição tinha chegado.*

— Mas, madame, não foi uma maldição que partiu o espelho. Foi uma bala!

Lady Chevenix-Gore respondeu com voz de quem perdoa tamanha ignorância.

— É tudo o mesmo, o senhor sabe. Foi o destino.

— Mas foi seu marido que se matou!

— Ele não deveria ter feito isso, é claro. Mas Gervase sempre foi impaciente. Nunca soube esperar. Sua hora estava próxima... ele se adiantou ao encontro. É tudo muito simples.

O major Riddle pigarreou desesperado e perguntou:

— Então, para a senhora, o suicídio de seu marido não foi uma surpresa? A senhora já o esperava?

— Não, não. Nem sempre se pode prever o futuro. É claro que Gervase sempre foi um homem estranho, um homem diferente. Ele era a reencarnação de um dos grandes profetas. Há muito tempo eu sabia disso e acho que ele próprio desconfiava. Por isso mesmo, Gervase achava difícil respeitar as tolas normas convencionais.

E olhando novamente sobre o ombro esquerdo do major Riddle:

— Ele está sorrindo agora. Está pensando que somos um grupo de tolos. E é verdade. Somos como crianças, fingindo que a vida é real e importante... A vida é apenas uma das grandes ilusões. Sentindo-se como um general prestes a perder uma batalha,

— A senhora então não pode nos dar a menor ideia do que teria levado seu marido ao suicídio?

Ela sacudiu os ombros magros.

— Somos como palha movida pelo vento. O senhor não pode compreender. O senhor vive apenas no plano material.

Poirot tossiu.

— Por falar em plano material, madame, a senhora sabe a quem seu marido deixou o dinheiro?

— Dinheiro? — perguntou Lady Chevenix-Gore com ar de desdém. — Nunca penso em dinheiro.

Poirot passou a outro assunto.

— A que horas a senhora desceu para o jantar hoje à noite?

— Horas? O que importam as horas, o que importa o tempo? O que é o tempo? O infinito. O tempo é infinito.

Poirot murmurou:

— Mas, pelo que sei, madame, seu marido era muito exigente em matéria de horário, especialmente quanto à hora do jantar.

— Pobre Gervase — Lady Chevenix-Gore sorriu com indulgência. — Era uma criancice dele. Mas o fazia feliz, por isso nós nunca nos atrasávamos.

— A senhora estava na sala de visitas quando soou o primeiro gongo?

— Não. Estava em meu quarto.

— A senhora se lembra de quem estava na sala de visitas quando desceu?

— Acho que quase todos. Importa muito saber?

— Talvez não muito — concordou Poirot. — Mas há outra coisa que gostaria de saber: seu marido chegou a lhe contar que achava estar sendo vítima de um roubo?

Lady Chevenix-Gore não pareceu se interessar muito pelo assunto.

— Roubo? Não, acho que ele nunca me falou sobre isso.

— Roubo, fraude, conto do vigário. Enfim, enganado de alguma maneira?

— Não, não, acho que não. Gervase teria ficado furioso se alguém tivesse tentado fazer isso com ele.

— Então ele nunca disse algo a respeito?

— Não... não... — respondeu Lady Chevenix-Gore, ainda sem mostrar grande interesse. — Acho que me lembraria se ele tivesse falado.

— Quando a senhora viu seu marido pela última vez?

— Ele veio ao meu quarto, como de hábito, antes de descer. Minha criada estava lá. Ele apenas olhou à porta e disse que já ia para baixo.

— Sobre o que ele falava mais frequentemente nestas últimas semanas?

— Sobre a história de nossa família. Ultimamente ele vinha fazendo grandes progressos em seu livro. Ele achava aquela pitoresca Miss Lingard de grande utilidade. Ela pesquisava para ele no Museu Britânico e lugares assim, e tinha trabalhado com Lord Mulcaster quando este escreveu a história de sua família. Foi Lord Mulcaster quem a recomendou. Ela tinha um grande tato... nunca pesquisava as coisas erradas, se o senhor entende o que quero dizer. Afinal, há antepassados que é melhor deixar mesmo de lado. Miss Lingard também me ajudava muito. Foi ela quem me conseguiu uma porção de informações sobre Hatshepsut. Não sei se o senhor sabe, mas eu sou a reencarnação de Hatshepsut.

Lady Chevenix-Gore fez esta comunicação com a voz absolutamente calma.

158 AGATHA CHRISTIE

— Antes disso — continuou — fui uma sacerdoti-
sa na Atlântida. O major Riddle remexeu-se em sua
poltrona.

— Ah, muito... interessante. Bem, Lady Chevenix-
-Gore, creio que foi tudo. A senhora foi muito gentil em
vir nos ver.

Lady Chevenix-Gore ergueu-se, alisando as dobras
de seu vestido.

— Boa noite — cumprimentou, e depois seus olhos
fitaram o vazio. — Boa noite, Gervase querido. Gostaria
que você viesse, mas sei que você tem de ficar aí.

Acrescentou, então, como se explicasse ao major Riddle.

— Você tem de permanecer no local de sua morte por
pelo menos 24 horas. Ainda é cedo para ele poder vagar
por aí e se comunicar com os vivos.

Lady Chevenix-Gore saiu do escritório. O major Riddle enxugou a testa.

— Puxa — murmurou. — Ela é muito mais doida
do que eu pensava. Será que ela acredita em toda essa
baboseira?

Poirot balançava a cabeça como quem medita.

— É possível que lhe seja de grande utilidade. No
momento, ela precisa criar uma ilusão onde possa se re-
fugiar para não enfrentar a triste realidade da morte do
marido.

— Para mim, ela é quase um caso de internação.
Nada do que ela disse tem o menor nexo.

— Não, não, meu amigo. Como Mr. Hugo Trent
observou-me casualmente, entre toda aquela mixórdia,
de repente, descobrimos uma observação muito lúcida.
Como a de que Miss Lingard tem muito tato, pois evi-
ta pesquisar antepassados comprometedores. Acredite,
Lady Chevenix-Gore não é uma tola.

Poirot ergueu-se e passeou pela sala.

— Há muitas coisas estranhas neste caso. Coisas das
quais eu não gosto.

Riddle olhava-o com curiosidade.

— Você se refere ao motivo do suicídio?

— Suicídio... não! Não foi suicídio, posso lhe garantir. Psicologicamente, não corresponde. Que ideia Chevenix-Gore fazia de si mesmo? A de um colosso, um semideus, uma pessoa imensamente importante, o centro do Universo! Um homem desses se autodestrói? Claro que não. É muito mais provável que ele mate outra pessoa... um miserável verme de homem que ousasse criar-lhe problemas. Tal ato, na opinião dele, seria perfeitamente justificável, necessário mesmo. Mas autodestruição? A destruição de um ego tão imenso?

— Sua psicologia é muito boa, Poirot, mas as provas não admitem discussão. A porta trancada, a chave no bolso. A porta da varanda também fechada e com o trinco passado por dentro. Um crime como este poderia acontecer nos livros, mas nunca na vida real. Você ainda tem alguma coisa a dizer?

— Sim, tenho ainda alguma coisa a dizer — respondeu Poirot, sentando-se na cadeira, enquanto prosseguia. — Aqui estou eu, Chevenix-Gore, sentado à minha escrivaninha. Resolvi suicidar-me porque... porque, digamos, descobri algo de horrível sobre o passado de minha família. Não é um motivo muito convincente, mas vamos aceitá-lo mesmo assim.

"Eh bien — continuou Poirot —, que faço eu? Rabisco num pedaço de papel a palavra DESCULPEM. Até aí, tudo bem. Em seguida, abro a gaveta onde guardo minha pistola, carrego-a, se já não está carregada, e então? Dou um tiro na cabeça? Não, primeiro viro a cadeira assim, depois inclino-me para a direita assim e só então encosto a pistola em minha cabeça e disparo!"

Poirot pôs-se rapidamente de pé.

— E agora pergunto; isso faz sentido? *Por que* virar a cadeira? Se pelo menos houvesse um quadro ou um retrato na parede ainda seria admissível. Algo que Chevenix-Gore quisesse ver uma última vez antes de morrer. Mas uma cortina, não, *não* faz sentido.

160 AGATHA CHRISTIE

— Talvez ele quisesse olhar pela janela. Ver sua propriedade pela última vez.

— Meu amigo, você sabe que isso não faz sentido. Às 20h08 era já noite fechada e, além disso, as cortinas estavam fechadas. Não, tem de haver outra explicação.

— Só pode haver uma, em minha opinião. Gervase Chevenix-Gore era doido.

Poirot continuava a balançar a cabeça insatisfeito.

O major Riddle ergueu-se.

— Venha comigo. Vamos interrogar as outras pessoas. Pode ser que assim descubramos alguma coisa.

VI

Depois da difícil conversa com Lady Chevenix-Gore, o major Riddle sentiu-se aliviado ao tratar com um advogado lógico e sensato como Forbes.

Mr. Forbes se manteve extremamente reservado, mas suas respostas iam sempre diretamente ao assunto.

Reconheceu que o suicídio de Sir Gervase fora um choque para ele. Jamais pensara que Sir Gervase fosse capaz de se matar. Não podia imaginar a menor razão para semelhante coisa.

— Sir Gervase era não apenas meu cliente, mas um velho amigo. Conhecia-o desde garoto e posso dizer que ele sempre amou a vida.

— Gostaria que o senhor usasse o máximo de franqueza conosco, Mr. Forbes. O senhor tinha conhecimento de alguma mágoa ou ansiedade secreta de Sir Gervase?

— Não. Ele tinha suas pequenas preocupações, como todos nós, mas nada de sério.

— Alguma doença? Alguma briga com a mulher?

— Não. Sir Gervase e Lady Chevenix-Gore se davam maravilhosamente.

ASSASSINATO NO BECO   161

O major Riddle disse cautelosamente:

— Lady Chevenix-Gore parece ter ideias estranhas.

Mr. Forbes sorriu. O sorriso superior e indulgente de um homem.

— Às senhoras se devem perdoar pequenas esquisitices.

O delegado continuou:

— O senhor cuidava de todos os interesses legais de Sir Gervase?

— Sim. Minha firma, Forbes, Ogilvie and Spence, cuida dos negócios da família Chevenix-Gore há mais de cem anos.

— Havia algum... algum escândalo na família Chevenix-Gore?

Mr. Forbes franziu a testa:

— Não compreendo.

— Monsieur Poirot, quer ter a bondade de mostrar a Mr. Forbes a carta que o senhor recebeu?

Poirot pôs-se de pé em silêncio e estendeu a carta a Mr. Forbes, com uma pequena mesura.

O advogado a leu e sua testa se franziu mais ainda.

— Uma carta extraordinária — disse. — Agora vejo aonde o senhor queria chegar. Mas não sei de alguma coisa que a pudesse justificar.

— Sir Gervase nada disse sobre o assunto?

— Nada. E devo confessar que acho muito estranho que ele não o tenha dito.

— Ele costumava fazer-lhe confidências?

— Digamos que ele gostava de pedir minha opinião.

— E o senhor não tem ideia do que o teria levado a escrever a carta?

— Prefiro não fazer juízos precipitados.

— E será que o senhor poderia nos dizer alguma coisa sobre a herança de Sir Gervase?

— Pois não. Não vejo inconveniente algum nisso. Lady Chevenix-Gore terá uma renda anual de seis mil libras e escolher entre uma propriedade no campo ou a casa em Lowndes Square — o que ela preferir. Há ainda diversos outros legados e doações, mas nada importante.

162   AGATHA CHRISTIE

A maior parte da herança foi deixada à sua filha adotiva, Ruth, com a condição de que, ao se casar, seu marido adote o nome Chevenix-Gore.

— E para seu sobrinho Hugo Trent?

— Um legado de cinco mil libras.

— Estou certo em presumir que Sir Gervase era um homem rico?

— Imensamente rico. Além desta casa, tinha muitos outros bens, embora já não fosse tão rico quanto há alguns anos, pois diversas ações de sua propriedade caíram de cotação. Além disso, ele perdeu bastante dinheiro no investimento que fez numa companhia de propriedade do coronel Bury, a Paragon Synthetic Rubber Company. O coronel lhe garantira que era um bom negócio.

— Um conselho infeliz, não?

— Militares aposentados são os piores financistas que existem. Minha experiência me ensinou que são mais fáceis de enganar que as viúvas, e olhem que isso é uma façanha.

— Mas esses maus investimentos não chegaram a abalar seriamente a fortuna de Sir Gervase, chegaram?

— Não. Ele ainda era extremamente rico.

— Quando foi feito o testamento?

— Há dois anos.

— E o testamento não seria um pouco injusto com Mr. Hugo Trent, o sobrinho de Sir Gervase? Afinal, ele era o parente consanguíneo mais chegado a Sir Gervase.

Mr. Forbes deu de ombros.

— É preciso levar em conta a história da família...

— Em que sentido?

— A curiosidade de Monsieur Poirot é natural. Esta carta de Sir Gervase precisa ser explicada.

— Não há algo de escandaloso na atitude de Sir Gervase em relação ao seu sobrinho — explicou Mr. Forbes.

— Ocorre simplesmente que ele sempre levou muito a sério seu papel de chefe de família. Ele tinha um irmão e uma irmã, ambos mais moços. O irmão morreu na guerra. A irmã, Pamela, casou-se, mas com a discordância de Sir Gervase. Achava que a família do capitão Trent não era suficientemente boa para uma aliança com os Chevenix-Gore e acreditava que, em qualquer caso, a irmã devia pedir-lhe autorização antes de se casar. Ela nem se aborreceu — achou sua atitude simplesmente divertida. O resultado foi que Sir Gervase sempre mostrou uma certa aversão pelo sobrinho. Acho mesmo que foi essa aversão que o levou a adotar uma criança.

— E ele não podia ter um filho próprio?

— Não. Um ano depois do casamento, Lady Chevenix-Gore teve um filho natimorto, e os médicos lhe disseram que nunca poderia conceber novamente. Dois anos mais tarde, adotaram Ruth.

Poirot perguntou:

— E quem era esta menina? Por que eles a escolheram?

— Creio que era filha de um parente distante.

— Já achava isso — respondeu Poirot, olhando os diversos retratos pendurados na parede. — É fácil ver que ela tem o mesmo sangue... o mesmo nariz, a forma do queixo. São traços comuns a quase todos estes retratos.

— Não são apenas as feições. Ela também herdou o temperamento — observou Mr. Forbes.

— É fácil imaginar. Como ela se dava com seu pai adotivo?

— Como o senhor deve estar pensando. Eram ambos terrivelmente voluntariosos, mas, apesar de todas as discussões, creio que no fundo eles se entendiam.

— Mesmo assim ela lhe dava dores de cabeça?

— Muitas. Mas posso garantir-lhe que não a ponto de suicidar-se.

— Ah, sim, claro — concordou Poirot. — Ninguém se mata só porque tem uma filha teimosa. Quer dizer que a senhorita Ruth é a principal herdeira? Sir Gervase nunca pensou em modificar o testamento?

— Uhm... — tossiu Mr. Forbes, envergonhado. — Para dizer a verdade, eu tinha recebido instruções de

Sir Gervase, ao chegar há dois dias, para fazer um novo testamento.

— O quê? — perguntou o major Riddle, interessado.

— O senhor não nos disse qualquer coisa.

Mr. Forbes retrucou rápido:

— O senhor simplesmente me perguntou quais eram os termos do testamento de Sir Gervase, e eu lhe dei a informação solicitada. O novo documento nem estava rascunhado, quanto mais assinado.

— E quais seriam os novos termos? Eles podem nos dar uma ideia do estado de espírito de Sir Gervase.

— De modo geral, os termos eram os mesmos, mas Miss Chevenix-Gore só poderia tomar posse da herança se se casasse com Mr. Hugo Trent.

— Ah! — fez Poirot. — Mas há então uma diferença fundamental.

— Eu disse a Sir Gervase que não concordava com a cláusula — continuou Mr. Forbes — e expliquei que ela provavelmente poderia ser anulada em juízo. A Justiça não vê com simpatia condições semelhantes. Mas Sir Gervase estava decidido a adotá-la.

— E se Miss Chevenix-Gore ou Mr. Hugo Trent não quisessem cumpri-la?

— Se Mr. Hugo Trent se recusasse a se casar com Miss Chevenix-Gore, a herança seria dela incondicionalmente. Mas, se *ele* quisesse e *ela* se recusasse, o dinheiro iria para ele.

— Negócio complicado — murmurou o major Riddle.

Poirot inclinou-se, tocando no joelho do advogado.

— Mas o que havia por trás disso? O que teria levado Sir Gervase a estabelecer tais condições? Devia haver alguma coisa... provavelmente, um outro homem... um pretendente com o qual ele não concordasse. O senhor não sabe *quem* era essa pessoa?

— Para ser franco, Monsieur Poirot, não.

— O senhor poderia talvez dar um palpite.

ASSASSINATO NO BECO 165

—Jamais dou palpites — respondeu Mr. Forbes, indignado. Em seguida, tirando o *pince-nez* e limpando-o com um lenço de seda, perguntou:

— Há mais alguma coisa que os senhores desejem saber?

— Por enquanto, não — respondeu Poirot. — Pelo menos, não no que me diz respeito.

Mr. Forbes olhou-o como se muito pouco lhe dissesse respeito e voltou sua atenção para o delegado. O major Riddle falou:

— Obrigado, Mr. Forbes. Acho que é tudo. Agora gostaria de conversar com Miss Chevenix-Gore, se possível.

— Certamente. Acho que ela está no segundo andar com Lady Chevenix-Gore.

— Bem, então talvez seja melhor conversarmos primeiro com... como é mesmo seu nome?... com Burrows e depois com a pesquisadora.

— Ambos estão na biblioteca. Vou avisá-los.

VII

— Trabalho duro — comentou o major Riddle, quando Mr. Forbes deixou a sala. — Para extrair informações de certos advogados, você quase precisa usar um aspirador. Parece que a moça é o centro de toda a história.

— Parece não haver dúvidas.

— Bem, aí vem Burrows.

Godfrey Burrows entrou com ar solícito. Seu sorriso fora cuidadosamente ensaiado para ser simpático sem, ao mesmo tempo, perder o toque de tristeza que a ocasião exigia. Por isso mesmo, parecia mais artificial do que espontâneo.

— Gostaríamos de lhe pedir algumas informações, Mr. Burrows.

— Com todo prazer, major Riddle. Estou às suas ordens.

— Bem, antes de tudo, para irmos direto ao assunto: o senhor tem ideia do que teria levado Sir Gervase ao suicídio?

— Nenhuma. Foi um imenso choque para mim.

— O senhor ouviu o tiro.

— Não. Acho que eu estava na biblioteca. Desci muito cedo e fui à biblioteca procurar algumas referências de que precisava. A biblioteca fica do outro lado da casa, e assim eu não poderia ouvir qualquer coisa.

— Havia alguém com o senhor na biblioteca? — quis saber Poirot.

— Não, ninguém.

— O senhor faz ideia de onde estariam as outras pessoas da casa?

— Acho que a maior parte estava no segundo andar, preparando-se para o jantar.

— Quando o senhor se dirigiu à sala de visitas?

— Pouco antes da chegada de Monsieur Poirot. Estavam todos lá... exceto, é claro, Sir Gervase.

— Pareceu-lhe estranho que ele não estivesse?

— Sim, pareceu-me. Ele tinha o hábito de estar sempre na sala de visitas antes mesmo do primeiro gongo.

— O senhor tinha reparado algo de estranho nos modos de Sir Gervase recentemente? Ele andava preocupado? Ansioso? Deprimido?

Godfrey Burrows pensou um pouco.

— Não, acho que não. Talvez um pouco... um pouco preocupado.

— Mas era uma preocupação grande, sobre algum assunto em especial?

— Não.

— Ele tinha alguma... alguma inquietação de ordem financeira?

ASSASSINATO NO BECO   167

— Bem, ele andava contrariado com a situação de uma companhia. Para ser mais preciso, a Paragon Synthetic Rubber Company.

— E lhe disse alguma coisa a respeito?

Godfrey Burrows sorriu de novo, e mais uma vez a impressão foi artificial.

— Bem, para ser sincero, o que ele me disse foi: "Este Bury é bobo ou vigarista. Mais provavelmente um bobo. Mas tenho que tratá-lo com calma, por causa de Vanda."

— E por que ele teria dito isto, *por causa de Vanda*? — perguntou Poirot.

— Bem, o senhor sabe, Lady Chevenix-Gore gosta muito do coronel Bury, e ele praticamente a adora. Fica atrás dela pela casa toda como um cachorro.

— Sir Gervase nunca mostrou ciúmes?

— Ciúmes? — espantou-se Burrows. — Sir Gervase com ciúmes? Acho que nunca na vida lhe ocorreria que uma mulher pudesse preteri-lo por outro homem. Isso lhe era inconcebível.

Poirot observou brandamente:

— Acho que o senhor não tinha muito boa impressão de Sir Gervase Chevenix-Gore.

Burrows ficou vermelho.

— Não, não. Tinha, sim. É só que certas coisas de Sir Gervase me pareciam um pouco ridículas hoje em dia.

— Que coisas?

— Aquelas manias feudais, aquele culto dos antepassados, além de uma certa arrogância em suas atitudes. Sir Gervase era um homem inteligente e levara uma vida fascinante, mas teria sido uma personalidade mais agradável se não fosse tão absorto em si mesmo e em seu próprio egoísmo.

— A filha dele concordava com o senhor?

— Miss Chevenix-Gore me parece ter uma mentalidade bem moderna. Mas nunca me ocorreu perguntar sua opinião sobre o pai.

168   AGATHA CHRISTIE

— Mas os jovens de hoje *não* se furtam a discutir os defeitos de seus pais — respondeu Poirot. — Falar mal deles é prova de espírito avançado.

Burrows permaneceu em silêncio. O major Riddle perguntou:

— Não havia alguma outra coisa... uma preocupação de ordem financeira? Sir Gervase nunca se queixou de estar sendo *espoliado*?

— *Espoliado*? — Burrows parecia incrédulo. — Não, ele nunca me disse algo.

— E o senhor tinha um bom relacionamento com ele?

— Sim, claro, por que não teria?

— Quem está fazendo as perguntas sou eu, Mr. Burrows.

O jovem fechou a cara.

— Posso garantir aos senhores que nos dávamos muito bem.

— O senhor sabia que Sir Gervase havia escrito a Monsieur Poirot, pedindo-lhe que viesse a esta casa?

— Não.

— Sir Gervase costumava escrever suas próprias cartas?

— Não, em geral, ele as ditava para mim.

— Mas não fez isto com a carta a Monsieur Poirot?

— Não.

— O senhor saberia me dizer por quê?

— Não.

— O senhor saberia o motivo que o teria levado a escrever justamente esta carta?

— Não, nenhuma.

— Ah! — fez o major Riddle, acrescentando: — Muito curioso. Quando o senhor viu Sir Gervase pela última vez?

— Pouco antes de me vestir para o jantar. Levei algumas cartas para ele assinar.

— Em que estado de espírito ele estava?

— Bastante normal. Pareceu-me que estava satisfeito consigo mesmo.

Poirot mexeu-se na cadeira.

ASSASSINATO NO BECO

— Verdade? Essa foi sua impressão? É estranho que um homem satisfeito consigo mesmo poucos momentos depois dê um tiro na cabeça. Muito estranho.

Godfrey Burrows deu de ombros.

— Estou apenas dando minhas impressões.

— Sim, eu sei, e elas são muito valiosas. Afinal, o senhor deve ter sido uma das últimas pessoas a ver Sir Gervase vivo.

— A última pessoa a vê-lo vivo foi Snell.

— Vê-lo, sim, mas não a falar com ele.

Burrows não respondeu.

O major Riddle interveio:

— A que horas o senhor subiu para se vestir?

— Uns cinco minutos depois das 19 horas.

— E o que Sir Gervase estava fazendo?

— Ele continuava no escritório.

— Quanto tempo ele, em geral, levava para se vestir antes do jantar?

— Uns 45 minutos.

— Então, se o jantar era às 20h15, ele teria subido, o mais tardar, às 19h30?

— Provavelmente.

— Mas o senhor subiu para se vestir mais cedo?

— Sim, preferi vestir-me mais cedo para ter tempo de ir à biblioteca e fazer as consultas de que precisava.

Poirot assentia, pensativo. O major Riddle então falou:

— Bem, acho que por enquanto é só. Será que o senhor poderia mandar Miss não-sei-o-quê entrar?

A pequenina Miss Lingard entrou quase em seguida. Usava diversas correntes que tilintaram um pouco enquanto se sentava e olhava interrogativamente para os dois homens.

— Este é um momento muito... muito triste, Miss Lingard — começou o major Riddle.

— Sem dúvida — concordou ela, com decoro.

— Quando a senhorita veio trabalhar aqui?

170   Agatha Christie

— Há uns dois meses. Sir Gervase escreveu a um amigo no Museu Britânico, o coronel Fotheringay, pedindo que lhe indicasse alguém para ajudá-lo a pesquisar a história de sua própria família, e o coronel Fotheringay me recomendou. Tenho bastante experiência neste tipo de pesquisas históricas.

— A senhorita achava difícil trabalhar com Sir Gervase?

— Para dizer a verdade, não. Era preciso um jeito especial para se lidar com ele, o senhor sabe. Mas isso acontece com todos os homens.

O major Riddle suspeitou vagamente que, naquele exato momento, Miss Lingard estava usando um jeito especial para falar com ele, mas continuou:

— Seu trabalho aqui era então ajudar Sir Gervase a escrever o livro?

— Sim.

— E o que a senhorita fazia exatamente?

Por um momento, Miss Lingard deixou entrever que, sob seu aspecto eficiente, havia emoções humanas. Seus olhos brilhavam enquanto falava:

— Eu praticamente escrevia o livro! Fazia toda a pesquisa, tomava notas, organizava o material. E, depois, fazia a revisão do que Sir Gervase tivesse escrito.

— A senhorita deve então ter precisado de muito tato, Miss Lingard — observou Poirot.

— Tato e firmeza. A gente precisa de ambos — disse ela.

— Sir Gervase não se incomodava com sua... sua firmeza?

— Ah não, nem um pouco. Mas eu sabia manobrá-lo, dizendo-lhe que não precisava se incomodar com detalhes de menor importância.

— Compreendo.

— Na verdade, Sir Gervase não era difícil de se lidar, desde que você soubesse o jeito.

— Agora, Miss Lingard, gostaríamos de saber se a senhorita sabe de alguma coisa que possa nos elucidar a respeito desta tragédia.

Miss Lingard balançou a cabeça negativamente.

— Sinto muito, mas não creio que possa ajudá-los. O senhor compreende, afinal de contas, ele não me faria confidências. Eu era praticamente uma estranha. De qualquer jeito, acho que ele era orgulhoso demais para conversar com alguém a propósito de problemas de família.

— Mas a senhorita acha que foram problemas de família que o levaram ao suicídio?

Miss Lingard pareceu surpresa.

— Mas claro. Que outra coisa poderia ser?

— A senhorita tem certeza de que ele estava preocupado com problemas de família?

— Eu sabia que ele andava muito aborrecido.

— Ah, a senhorita sabia?

— Bem... claro que eu sabia.

— Diga-me, Mademoiselle, Sir Gervase lhe confessou alguma vez que andava aborrecido?

— Bem... não de forma direta.

— De que forma então?

— Deixe-me ver. Notei que ele não estava prestando atenção ao que eu dizia.

— Um momento. *Pardon*. Quando foi isso?

— Hoje à tarde. Geralmente trabalhávamos das 15 às 17 horas.

— Continue, por obséquio.

— Como eu ia dizendo, Sir Gervase parecia encontrar dificuldade em se concentrar e chegou mesmo a admitir o fato, explicando que tinha a cabeça ocupada com outros assuntos. E me disse... deixe-me lembrar mais ou menos como, as palavras talvez não sejam as mesmas... mas ele disse: "Miss Lingard, é horrível quando uma família orgulhosa de sua história se vê subitamente confrontada com uma desonra."

172 AGATHA CHRISTIE

— E o que a senhorita respondeu?

— Apenas algo para consolá-lo. Disse que todas as famílias tinham suas ovelhas negras, mas elas não eram lembradas na posteridade.

— E isso teve o efeito calmante que a senhorita esperava?

— Mais ou menos. Passamos a falar de Sir Roger Chevenix-Gore, pois eu tinha descoberto um manuscrito da época com referências interessantes à sua pessoa. Mas, mesmo assim, Sir Gervase não prestava muito atenção, e finalmente me disse que não ia mais trabalhar à tarde pois tinha sofrido um choque.

— Um choque?

— Foi o que ele disse, mas preferi não fazer mais perguntas. Disse apenas que sentia muito. Então me pediu que avisasse Snell que Monsieur Poirot chegaria no trem das 19h50, que um carro deveria apanhá-lo na estação e o jantar seria atrasado até as 20h15.

— Ele costumava pedir a você para transmitir esse tipo de recado?

— Não. Em geral, isso era tarefa de Mr. Burrows. Eu fazia apenas o trabalho literário. Não era uma secretária em qualquer sentido da palavra.

Poirot perguntou:

— A senhorita acha que Sir Gervase tinha alguma razão especial para pedir-lhe que transmitisse este recado, em vez de fazê-lo por intermédio de Mr. Burrows?

Miss Lingard pensou alguns instantes.

— Bem, é possível, mas na hora não pensei nisso. Pareceu-me apenas que fosse mais conveniente, já que eu estava no escritório. Mas, agora que estou tocando no assunto, lembro-me que ele me *pediu* para não contar a quem quer que fosse que Monsieur Poirot estava para chegar. Explicou-me que era uma espécie de surpresa.

— Ah, ele disse isso? Muito curioso. Muito interessante. E a senhorita *contou* a alguém?

— Claro que não, Monsieur Poirot. Apenas trasmiti a Snell o recado como Sir Gervase me pedira.

— Sir Gervase lhe disse mais alguma coisa pertinente ao caso?

— Não. Creio que não. Ele estava com um ar muito preocupado, como já disse. Ah, lembro-me que, quando eu ia saindo do escritório, ele disse: "Se bem que a vinda de Monsieur Poirot já não adiante nada. É tarde demais."

— E a senhorita não faz ideia do que queria dizer com isso?

— Nã... não.

A voz de Miss Lingard revelou um traço apenas perceptível de hesitação. Poirot repetiu, com uma ruga na testa:

— *Tarde demais*. Foi o que ele disse, não? *Tarde demais*. O major Riddle perguntou:

— A senhorita poderia talvez nos dar uma ideia sobre o motivo da preocupação de Sir Gervase com sua família?

Miss Lingard respondeu, medindo bem as palavras:

— Tenho a impressão de que pode ser alguma coisa relacionada a Mr. Hugo Trent.

— Hugo Trent? E por que a senhorita tem essa impressão?

— Bem, não é algo de concreto. É apenas que, ontem à tarde, nós tratamos de Sir Hugo de Chevenix, que, infelizmente, não teve um comportamento dos mais dignos na Guerra das Rosas, e Sir Gervase disse: "Não sei por que minha irmã *cismou* de escolher o nome de Hugo para seu filho. Sempre foi um nome infeliz na história da família. Ela deveria saber que nenhum Hugo poderia dar boa coisa."

— O que a senhorita diz é muito interessante — comentou Poirot. — Sim, o que a senhorita diz me sugere uma nova hipótese.

— Sir Gervase não entrou em maiores detalhes? — perguntou o major Riddle.

174 AGATHA CHRISTIE

Miss Lingard balançou a cabeça.

— Não, e não achei conveniente perguntar. Na verdade, ele estava falando mais consigo mesmo do que comigo.

— Concordo.

— A senhorita é uma estranha à família, mas já está aqui há dois meses. Será que não poderia nos dar suas impressões dela e dos criados?

Miss Lingard tirou o *pince-nez* e piscou com ar de quem refletia.

— Bem, logo de saída tive a impressão de que acabara de entrar num hospício. Lady Chevenix–Gore vivia a ver fantasmas, e Sir Gervase comportava-se como um rei, cercando todos seus atos da maior dramaticidade. Minha impressão foi de que era o casal mais doido que já conhecera. É verdade que Miss Chevenix–Gore sempre me pareceu uma pessoa normal e, aos poucos, descobri que Lady Chevenix–Gore era no fundo uma criatura extremamente bondosa e gentil. Ninguém poderia ser mais amável comigo do que ela tem sido. Mas Sir Gervase... este eu acho mesmo que era doido. Sua egomania... é assim mesmo que se diz?... ficava pior a cada dia.

— E os outros?

— Acho que Mr. Burrows passava momentos difíceis com Sir Gervase. Para ele devia ser um alívio o fato de que meu trabalho com Sir Gervase lhe dava algumas horas de folga. O coronel Bury sempre foi muito amável. Ele é muito dedicado a Lady Chevenix–Gore e sabia como tratar Sir Gervase. Quanto a Mr. Trent, Mr. Forbes e Miss Cardwell não posso dizer coisa alguma, pois chegaram há poucos dias.

— Obrigado, Mademoiselle. E quanto ao capitão Lake?

— Ele é extremamente simpático. Todos gostam dele.

— Mesmo Sir Gervase?

— Sim, mesmo Sir Gervase. Uma vez ouvi ele dizer que Lake era o melhor procurador que ele já teve. É certo que o capitão Lake também passava seus apertos com Sir Gervase, mas de modo geral eles se davam bem.

Poirot assentiu, pensativo, e murmurou:

— Há uma coisa que eu queria perguntar, mas não me lembro no momento. O que era mesmo, meu Deus?

Miss Lingard olhou para ele com jeito de quem se dispunha a aguardar com paciência.

Poirot parecia embaraçado.

— Tsk! Está na ponta da língua.

O major Riddle esperou um pouco, mas como Poirot continuava a franzir as sobrancelhas com ar perplexo, continuou com suas perguntas.

— Quando foi a última vez que a senhorita viu Sir Gervase?

— Na hora do chá, nesta sala.

— E como ele parecia? Normal?

— Sim, dentro do que lhe era possível.

— Havia alguma tensão entre os presentes?

— Não, acho que todos se comportavam da maneira habitual.

— E para onde Sir Gervase foi depois de tomar seu lanche?

— Foi para o escritório com Mr. Burrows, como de hábito.

— Essa foi a última vez em que a senhorita o viu?

— Foi. Eu me dirigi à pequena sala de visitas onde sempre trabalhava e bati à máquina um dos capítulos do livro, baseando-me nas anotações que tinha conferido com Sir Gervase. Fiquei lá até às 19 horas, quando subi para descansar um pouco e preparar-me para o jantar.

— Creio que a senhorita ouviu o tiro, não?

— Sim, eu estava aqui na sala. Ouvi o que me pareceu um tiro e fui até o hall. Lá encontrei Mr. Trent com Miss Cardwell. Mr. Trent perguntou a Snell se iríamos ter champanhe para o jantar e fez uma brincadeira qualquer a respeito. Nunca nos passou pela cabeça que o assunto poderia ser sério. Pensamos que fosse a descarga de um automóvel.

Poirot perguntou:

— A senhorita ouviu Mr. Trent dizer que sempre se podia pensar na hipótese de um *assassinato*?

— Acho que ele falou algo mais ou menos assim, mas foi brincando.

— E o que se passou em seguida?

— Nós todos viemos aqui, para a sala de visitas.

— A senhorita se lembraria da ordem em que as outras pessoas chegaram?

— Acho que Miss Chevenix-Gore foi a primeira, seguida por Mr. Forbes. Depois, o coronel Bury e Lady Chevenix-Gore entraram juntos, com Mr. Burrows logo atrás. Acho que foi nessa ordem, mas não posso ter certeza porque eles chegaram quase ao mesmo tempo.

— Convocados pelo som do primeiro gongo, não?

— Sim. Todos se apressavam quando ouviam o gongo, pois Sir Gervase fazia questão absoluta de pontualidade ao jantar.

— A que horas ele costumava descer?

— Quase sempre ele já estava na sala de visitas antes do primeiro gongo.

— A senhorita se surpreendeu de não encontrá-lo aqui hoje à noite?

— Imensamente.

— Ah, consegui! — gritou Poirot.

Miss Lingard e o major Riddle o olharam espantados, enquanto ele continuava:

— Lembrei-me do que queria perguntar a Miss Lingard. Hoje à noite, quando todos nos dirigíamos ao escritório, atrás de Snell, a senhorita abaixou-se e apanhou alguma coisa.

— Eu? — Miss Lingard parecia extremamente surpresa.

— Sim, logo que dobramos e entramos no pequeno corredor que leva ao escritório. Algo que me pareceu pequeno e brilhante.

ASSASSINATO NO BECO   177

— É incrível, mas não me recordo... Ah, espere um momento... Sim, agora me lembro. É que o peguei quase sem pensar. Deixe-me ver... deve estar aqui.

Ela abriu a bolsa e despejou o conteúdo sobre a mesa. Poirot e o major Riddle examinaram a coleção com interesse. Havia dois lenços, uma caixinha de pó-de-arroz compacto, um chaveiro, um estojo de óculos e um outro objeto sobre o qual Poirot precipitou-se avidamente.

— Deus do céu! Uma bala! — gritou o major Riddle.

O objeto tinha de fato a forma de uma bala, mas era na verdade um pequeno lápis.

— Foi o que apanhei no chão — disse Miss Lingard.

— Tinha me esquecido por completo.

— A senhorita sabe de quem é este lápis, Miss Lingard?

— Sei. É do coronel Bury. Ele o mandou fazer de uma bala que o feriu na Guerra dos Boers.

— A senhorita sabe quando ele o perdeu?

— Bem, ele o tinha hoje à tarde quando eles estavam jogando bridge, porque, quando cheguei para o chá, reparei que ele tomava nota dos pontos com ela.

— Quem estava jogando bridge?

— O coronel Bury, Lady Chevenix-Gore, Mr. Trent e Miss Cardwell.

— Se a senhorita não se incomoda, guardaremos o lápis e o devolveremos ao coronel Bury — disse Poirot amavelmente.

— Sim, será um favor. Sou muito distraída e poderia esquecer-me de devolvê-lo.

— Nesse caso a senhorita poderia fazer o favor de pedir ao coronel Bury que viesse aqui?

— Pois não. Vou procurá-lo imediatamente.

Miss Lingard saiu apressada. Poirot levantou-se e começou a andar pela sala, sem rumo certo.

— Vamos ver se podemos reconstituir o que se passou durante a tarde — começou ele. — É tudo muito interessante. Às 14h30, Sir Gervase examina algumas contas com o capitão Lake. *Está ligeiramente preocupado.* Às 15

178   AGATHA CHRISTIE

horas, troca ideias com Miss Lingard sobre o livro da família. *Parece extremamente agoniado.* Miss Lingard supõe que seu aborrecimento tenha alguma coisa a ver com Hugo Trent, por causa de uma observação casual que ele deixar escapar. Na hora do chá *seu comportamento é normal.* Depois do chá, Godfrey Burrows acha que ele está *satisfeito consigo mesmo.* Às 19h55, ele desce, entra no escritório, rabisca DESCULPEM num pedaço de papel e dá um tiro na cabeça.

Riddle disse devagar:

— Vejo aonde você quer chegar. Não faz sentido.

— Uma alteração de estado de espírito muito estranha parece se passar com Sir Gervase. Ele está preocupado, está seriamente aflito, tem um comportamento normal, está alegre. Há algo de muito curioso nisso tudo. E além do mais, ele diz outra coisa estranha. *Tarde demais.* Diz que eu chegaria aqui *tarde demais.* Bem, não deixa de ser verdade. Eu cheguei aqui tarde demais... *para vê-lo vivo.*

— Compreendo. Você acha que...

— O que acho é que nunca descobrirei por que Sir Gervase mandou me chamar.

Poirot continuava caminhando pela sala. Ajeitou as posições de dois ou três objetos sobre a lareira; examinou uma mesinha para jogo que se encontrava encostada a uma parede, tirando de uma gaveta as folhas de apontamento para bridge. A seguir, dirigiu-se a outra mesa e examinou a cesta que se encontrava sob ela, mas lá encontrou apenas um saco de papel. Poirot o pegou, cheirou-o, murmurou "laranjas" e se pôs a analisá-lo, lendo o nome impresso

— "Carpenter and Sons, Frutieres, Hamborough St. Mary". Poirot estava dobrando o saco de papel cuidadosamente quando o coronel Bury entrou na sala.

VIII

O coronel deixou-se cair em uma cadeira, balançou a cabeça, suspirou e disse:

— É horrível, Riddle. Lady Chevenix-Gore vem mostrando uma coragem a toda prova. É uma mulher extraordinária.

Sentando-se outra vez em sua cadeira, Poirot perguntou:

— O senhor conhece Lady Chevenix-Gore há muitos anos, não?

— Sim, estive em seu baile de debutante. Lembro-me que tinha botões de rosa nos cabelos e um vestido branco esvoaçante. Não havia alguém que lhe chegasse aos pés no salão!

Sua voz vinha cheia de entusiasmo. Poirot estendeu-lhe o lápis.

— Este objeto lhe pertence?

— Hein? Ah, sim. Eu o estava usando hoje à tarde enquanto jogávamos bridge. Sabe que nunca joguei tão bem quanto hoje?

— O senhor estava jogando bridge antes do lanche, não? Qual era o estado de espírito de Sir Gervase quando veio tomar chá?

— O de sempre. Nunca poderia me passar pela cabeça que ele estivesse planejando se suicidar. Mas, pensando bem, talvez estivesse um pouco mais animado do que o normal.

— Qual foi a última vez em que o senhor o viu?

— Eu? Naquela hora, no chá. Nunca mais vi o pobre coitado vivo.

— O senhor não teria ido ao escritório depois do lanche?

— Não, nunca mais o vi, estou lhe dizendo.

— A que horas o senhor desceu para o jantar?

— Quando ouvi o primeiro gongo.

— O senhor e Lady Chevenix-Gore desceram juntos?

— Não... nós, nós nos encontramos no hall. Acho que ela tinha ido à sala de jantar para ver o arranjo das flores... algo assim.

O major Riddle o interrompeu:

— Espero que o senhor não se aborreça, coronel Bury, se eu lhe fizer uma pergunta pessoal. Houve alguma espécie de desentendimento entre o senhor e Sir Gervase a propósito da Paragon Synthetic Rubber Company?

O coronel Bury ficou subitamente muito vermelho e gaguejou um pouco:

— Nã... não, de jeito algum. Mas é preciso levar-se em consideração que o velho Gervase era uma criatura difícil. Esperava que tudo que tocasse se transformasse em ouro. Parecia não compreender que há uma crise de caráter mundial. Todas as ações tinham de sofrer um pouco.

— Então quer dizer que havia um certo desentendimento entre os senhores?

— Não era desentendimento. Apenas incompreensão de Gervase.

— Ele pôs em você a culpa de alguns prejuízos que tivera?

— Gervase era meio doido. Vanda sabia disso, mas sabia também como lidar com ele. Eu preferi deixar o caso em suas mãos.

Poirot tossiu; o major Riddle mudou de assunto, depois de olhá-lo de esguelha.

— Sei que o senhor é um velho amigo da família, coronel Bury. Será que o senhor sabe como Sir Gervase tinha feito o testamento?

— Bem, acho que a maior parte da herança seria de Ruth. Foi o que deduzi do que Gervase deixava escapar.

— O senhor não acha que isso era um pouco injusto com Hugo Trent?

— Gervase não gostava de Hugo. Nunca simpatizou com ele.

— Mas tinha uma noção muito grande de família. Afinal, Miss Chevenix-Gore não passava de sua filha adotiva.

O coronel Bury hesitou, mas, depois de limpar a garganta uma ou duas vezes, acabou por dizer:

— Olhem, acho que devo lhes contar uma coisa, mas peço sigilo absoluto a respeito.

— Claro... claro...

— Ruth é ilegítima, mas é uma Chevenix-Gore. É filha do irmão de Gervase, Anthony, que morreu na guerra. Parece que teve um caso com uma datilógrafa; depois da morte dele, ela escreveu a Vanda. Vanda foi vê-la, a moça estava grávida. Vanda discutiu o assunto com Gervase, pois tinha acabado de ser informada de que não poderia mais ter filhos. O resultado foi que, quando a criança nasceu, eles a adotaram, tendo a mãe renunciado a todos os direitos. Eles criaram Ruth como sua filha legítima e, para todos os propósitos, ela é sua filha legítima; basta vê-la para se compreender que ela é uma autêntica Chevenix-Gore.

— Ah — fez Poirot. — Isso torna a atitude de Sir Gervase muito mais fácil de compreender. Mas, se ele não gostava de Mr. Hugo Trent, por que diabo queria tanto que ele se casasse com Miss Ruth?

— Para regularizar a situação da família. Era uma coisa que combinava bem com seu temperamento.

— Embora ele não gostasse do rapaz, nem confiasse nele?

O coronel Bury deu um pequeno bufo.

— O senhor não pode compreender o velho Gervase. Ele não olhava as pessoas como seres humanos. Arranjava casamentos como se os personagens fossem reis e rainhas. Ele considerava apropriado que Ruth e Hugo passassem a assinar Chevenix-Gore. O que Hugo e Ruth pensavam não lhe interessava.

— E Mademoiselle Ruth estava, por acaso, disposta a satisfazer seus desejos?

O coronel Bury riu.

— Ela? Nunca, ela é uma fera.

— O senhor sabia que, pouco antes de morrer, Sir Gervase estava preparando um testamento com a condição de que Miss Chevenix-Gore só tomaria posse da herança se se casasse com Mr. Trent?

O coronel deixou escapar um assovio.

— Então ele *sabia* de alguma coisa entre Ruth e Burrows...

Assim que falou, o coronel se arrependeu, mas era tarde. Poirot lançou-se ao assunto:

— Então havia alguma coisa entre Mademoiselle Ruth e o jovem Mr. Burrows?

— Provavelmente, nada sério... nada firme.

— Acho melhor o senhor nos contar tudo o que sabe, coronel Bury. Pode ser que esteja aí a explicação para o estado de espírito de Sir Gervase.

— Acho melhor mesmo — concordou o coronel, embora um pouco hesitante. — Bem, o fato é que o jovem Burrows é bem-apessoado... ou, pelo menos, as mulheres parecem pensar assim. Ultimamente Ruth e ele andavam muito juntos, e Gervase não gostava... não gostava nem um pouco, mas não queria despedir Burrows, com medo de piorar as coisas. Ele conhecia Ruth muito bem, sabia que ela não aceitaria imposições. Então acho que teve essa ideia. Ruth não é o tipo de moça que sacrificaria tudo por amor. Ela gosta de conforto e de dinheiro.

— E o que o senhor acha de Mr. Burrows?

O coronel respondeu que, em sua opinião, Burrows não era flor que se cheirasse, expressão idiomática que Poirot não entendeu bem, mas que trouxe um sorriso aos lábios do major Riddle.

Houve mais algumas perguntas e respostas. Finalmente, o coronel Bury se retirou.

Riddle olhou de soslaio para Poirot, que estava sentado e parecia absorto em seus pensamentos.

— O que você acha de tudo isso, Poirot?

O homenzinho ergueu as mãos.

— Acho que começo a ver um contorno, um propósito definido.

Riddle comentou:

— É um caso difícil.

— Sim, é um caso difícil. No entanto, cada vez mais, uma frase começa a fazer sentido, embora talvez dita por acaso.

— Que frase?

— Aquela frase que Hugo Trent disse rindo: "...sempre havia a hipótese de um crime."

Riddle falou animado:

— Sim, sei que você tem essa desconfiança desde o início.

— Mas você não concorda, meu amigo, que, quanto mais aprendemos sobre o caso, mais a hipótese de suicídio se mostra inverossímil? Mas para assassinato não faltam motivos!

— Mesmo assim, não podemos ignorar os fatos — a porta trancada, a chave no bolso de Sir Gervase. Sim, eu sei que sempre se pode dar um jeito. Há toda sorte de truques, de molas, de alfinetes entortados. Sim, tecnicamente, suponho que seria *possível*... Mas esses truques funcionam mesmo? É o que eu sempre duvido muito.

— Mesmo assim, vamos examinar o caso do ponto de vista de assassinato, não de suicídio.

— Concordo. Como você está aqui, aposto que, no fim, vai ser crime mesmo!

Poirot sorriu:

— Acho que essa observação não é muito elogiosa.

Mas depois ficou sério outra vez:

— Sim, vamos examinar o caso do ponto de vista de assassinato. Quando o tiro foi disparado, quatro pessoas estavam no hall: Miss Lingard, Hugo Trent, Miss Cardwell e Snell. Onde estariam os outros? — perguntou Poirot, continuando:

184 AGATHA CHRISTIE

— Burrows estava na biblioteca, de acordo com o que ele mesmo diz, embora ninguém possa corroborar essa afirmativa. Os outros presumivelmente estavam em seus quartos, mas quem garante que eles realmente estariam lá? Todos parecem ter descido separadamente para o jantar. Mesmo Lady Chevenix-Gore e Bury só se encontraram no hall. Lady Chevenix-Gore vinha saindo da sala de jantar. De onde saiu Bury? Não seria possível que ele estivesse vindo não do andar de cima, mas *do escritório*? Afinal de contas, como ele perdeu aquele lápis?

"Sim, o lápis nos oferece conjeturas muito interessantes. Ele não se perturbou muito quando eu o mostrei, mas é possível que não saiba onde o achei e nem soubesse mesmo que o tivesse perdido. Vejamos, quem mais estava jogando bridge quando o coronel usava o lápis? Hugo Trent e Miss Cardwell, mas eles não podem ser incluídos entre os suspeitos, pois têm um álibi corroborado pelo mordomo e por Miss Lingard. A quarta pessoa na mesa de bridge era Lady Chevenix-Gore".

— Você não pode suspeitar dela de verdade.

— Por que não, meu amigo? Posso suspeitar de todo mundo. Suponha que, apesar de toda sua aparente dedicação a Sir Gervase, na verdade, ela amasse mesmo o fiel Bury?

— Hum — refletiu Riddle. — De certa forma, tem havido um *ménage à trois* há anos.

— E não se esqueça do desentendimento entre o coronel Bury e Sir Gervase a propósito daquela companhia de borracha.

— É bem possível que Sir Gervase estivesse começando a se fazer realmente de difícil — concordou Riddle. — Não conhecemos os pormenores do caso. Mas o desentendimento pode ter sido a causa daquela carta chamando-o aqui. Digamos que Sir Gervase suspeitasse que Bury vinha roubando-o, mas não quisesse publicidade sobre o caso, com receio de que sua mulher também estivesse envolvida na trama. Sim, é possível, e aí tanto o coronel quanto Lady Chevenix-Gore teriam um motivo. Não deixa mesmo de ser estranho que Lady Chevenix-Gore tivesse recebido a morte do marido com tanta calma. Esse negócio de fantasmas pode ser fingimento.

— Mas há ainda outras complicações — disse Poirot —, e estou me referindo a Miss Chevenix-Gore e Burrows. Eles tinham interesse em que Sir Gervase não assinasse o novo testamento, pois ela seria a única herdeira, com a condição de que seu marido tomasse o nome da família...

— Sim, e o relato de Burrows sobre o estado de espírito de Sir Gervase hoje à noite é um pouco estranho. Diz ele que Sir Gervase estava de ótimo humor, satisfeito consigo mesmo, mas essa descrição não combina com nenhuma das outras que ouvimos.

— E ainda há Mr. Forbes. Parece muito correto, muito empertigado, de um escritório de advocacia muito tradicional. Mas até os mais respeitáveis advogados já enganaram os clientes ao se acharem eles mesmos em apertos financeiros.

— Acho que você está começando a exagerar, Poirot.

— Você acha que o que digo lembra o enredo de um filme? Mas a vida real muitas vezes se parece com o que vemos nos cinemas, meu caro major Riddle.

— E tem sido mesmo, aqui neste condado — concordou o delegado. — Não acha melhor acabarmos de interrogar os outros? Está ficando tarde, ainda não vimos Ruth Chevenix-Gore, e ela é provavelmente a mais importante de todos.

— Concordo. Temos também de falar com Miss Cardwell. Aliás, acho melhor interrogá-la primeiro, pois não deverá tomar muito tempo, e depois então dedicarmos toda a nossa atenção a Miss Chevenix-Gore.

— Boa ideia.

IX

Ao chegar, Poirot olhara Susan Cardwell apenas de relance, mas, dessa vez, estudou-a mais demoradamente. A moça não era propriamente bonita, mas tinha um rosto inteligente e uma graça que faria inveja a muitas outras jovens. Seu cabelo era magnífico e a pintura de seu rosto muito bem-feita. Seus olhos pareciam atentos.

Depois de algumas indagações preliminares, o major Riddle perguntou:

— A senhorita é uma amiga íntima da família?

— Não, mal os conheço. Foi Hugo quem levou Sir Gervase a me convidar para vir aqui.

— A senhorita é, portanto, uma amiga de Hugo Trent?

— De certa forma, sim. Mas sou mais do que isso. Sou sua namorada — Susan Cardwell sorriu ao dizer as últimas palavras.

— A senhorita o conhece há muito tempo?

— Não. Pouco mais de um mês — respondeu ela, acrescentando, depois de uma pausa: — Vamos ficar noivos.

— E ele a trouxe aqui para anunciar o noivado à família?

— Não, nada disso. Estamos mantendo tudo em segredo. Eu só vim dar uma espiada, pois Hugo me disse que era uma casa de loucos. Achei melhor ver com meus próprios olhos. Hugo é muito bom, mas não tem a menor malícia. Nossa posição é difícil porque nem Hugo nem eu temos dinheiro, e o velho Sir Gervase, que era a maior esperança dele, decidira que queria vê-lo casado com Ruth. Hugo não sabe impor sua vontade, e eu temi que ele concordasse com o casamento, esperando depois ver-se livre por meio de um divórcio.

— A ideia então não a atraía muito, Mademoiselle? — perguntou Poirot amavelmente.

— Nem um pouco. Temi que Ruth tivesse ideias estranhas e se recusasse a um divórcio depois do casamento.

Bati meu pé. Nada de igreja, a não ser que eu própria estivesse lá toda nervosa e de branco.

— Então a senhorita veio estudar a situação pessoalmente?

— Vim.

— *Eh bien!* — disse Poirot.

— Bem, descobri que Hugo tinha razão. Com exceção de Ruth, a família é doida varrida. Ruth na verdade é uma moça boa. Ela tem seu próprio namorado e mostrava tão pouco entusiasmo pelo tal casamento quanto eu mesma.

— A senhorita está se referindo a Mr. Burrows.

— Burrows? Claro que não. Ruth jamais gostaria de um convencido como aquele.

— Quem é então seu namorado?

Susan Cardwell fez uma pausa, acendeu um cigarro e finalmente respondeu:

— É melhor o senhor perguntar a ela. Afinal, não é da minha conta.

O major Riddle perguntou:

— Qual foi a última vez em que a senhorita viu Sir Gervase?

— Na hora do lanche.

— Seu comportamento pareceu estranho?

— Não mais do que o habitual.

— O que a senhorita fez depois do lanche?

— Joguei bilhar com Hugo.

— Não tornou a ver Sir Gervase?

— Não.

— Mas ouviu o tiro?

— Bem, foi estranho, o senhor compreende. Pensei que o primeiro gongo tivesse soado, acabei de me vestir às pressas, saí correndo do quarto, ouvi o que pensei ser o segundo gongo e desci as escadas praticamente aos pulos. Em minha primeira noite aqui, tinha me atrasado um minuto para o jantar, e Hugo me disse que assim não teríamos a menor chance com o velho. Por isso, desci correndo. Hugo ia logo adiante, e então ouvimos um estalo. Ele perguntou se era uma rolha de champanhe, e Snell respondeu que não. De qualquer forma, não supus que o barulho viesse da sala de jantar. Miss Lingard apareceu e disse que achava que o barulho tinha sido no segundo andar, mas todos acabamos chegando à conclusão de que deveria ser a descarga de um automóvel. Finalmente, entramos na sala de visitas e esquecemos o assunto.

— Não lhe ocorreu nem por um momento que Sir Gervase pudesse ter se suicidado? — quis saber Poirot.

— Eu lhe pergunto se eu deveria ter pensado uma coisa dessas. O velho parecia muito satisfeito com sua própria importância. Nunca me passou pela cabeça que ele pudesse suicidar-se. Mesmo agora, não consigo atinar com um motivo. Acho que é porque ele era doido mesmo.

— De qualquer forma, foi um acontecimento muito triste.

— Muito, especialmente, para mim e para Hugo. Pelo que sei, ele não deixou qualquer coisa para o sobrinho, ou praticamente nada.

— Quem lhe disse isso?

— Hugo soube com o velho Forbes.

— Bem, Miss Cardwell, acho que é tudo. A senhorita acha que Miss Chevenix-Gore está em condições de conversar conosco?

— Acho que sim. Vou chamá-la.

Poirot interrompeu-a antes que ela deixasse a sala.

— Um momento, Mademoiselle. A senhorita viu isto antes? Ele mostrava o lápis feito com uma bala.

— Vi sim, vi hoje na mesa de bridge. Creio que é do coronel Bury.

— Sabe se ele o guardou consigo quando o jogo acabou?

— Não tenho a menor ideia.

— Obrigado, Mademoiselle. É tudo.

ASSASSINATO NO BECO   189

— Então vou chamar Ruth.

Ruth Chevenix-Gore entrou na sala com o porte de uma rainha. Sua cabeça estava erguida, e em seu rosto não havia traço de abatimento. Mas seus olhos eram atentos, como os de Susan Cardwell. Ela usava ainda a mesma roupa com que Poirot a vira ao chegar — uma túnica em tom damasco-claro. No ombro estava presa uma rosa de um tom bem forte. Uma hora antes, a flor se mostrara fresca e viçosa, mas agora começava a murchar.

— E então? — perguntou Ruth.

— Sinto imensamente ter de incomodá-la — começou o major Riddle.

Ela o interrompeu.

— É claro que o senhor tem de me incomodar. O senhor precisa incomodar todo o mundo, é seu dever. Mas posso poupar-lhe algum tempo. Não tenho a menor ideia do que teria levado o velho ao suicídio. Tudo o que posso lhe dizer é que não combina com seu temperamento.

— A senhorita notou algo de estranho em seu comportamento hoje? Ele estava deprimido ou animado demais? Havia alguma coisa de anormal com ele?

— Acho que não. Se havia, não reparei.

— Qual foi a última vez em que a senhorita o viu?

— Na hora do chá.

— A senhorita não foi ao escritório... mais tarde?

— Não. A última vez em que o vi foi nesta sala. Sentado ali. Apontou uma cadeira.

— Compreendo. A senhorita já viu este lápis antes?

— É do coronel Bury.

— A senhorita lembra-se de tê-lo visto recentemente?

— Não saberia dizer com certeza.

— A senhorita sabe se havia algum... algum desentendimento entre Sir Gervase e o coronel Bury?

— A propósito da Paragon Rubber?

— Sim.

— Creio que havia. Pelo menos, sei que o velho estava furioso com ele.

— Será que ele achava que estava sendo vítima de uma fraude?

Ruth deu de ombros.

— Ele não entendia coisa alguma de finanças.

Poirot interveio:

— Posso fazer uma pergunta, senhorita? Uma pergunta, talvez, impertinente?

— Pois não.

— A senhorita sente... a senhorita está triste com a morte de seu pai?

Ela o olhou fixamente.

— É claro que estou triste. Só não sou de choramingar pelos cantos. Mas sentirei saudade dele... Eu gostava muito do velho. É assim que o chamávamos, Hugo e eu, sempre. O Velho ou então o Velho Homem... talvez porque nos desse a ideia de um ser primitivo, meio antropoide, meio patriarca. Parece falta de respeito, mas, na verdade, havia muita afeição por trás de nossa maneira de falar. É claro que ele foi o velho mais teimoso e ranzinza que jamais existiu.

— Muito interessante, senhorita.

— O velho tinha o cérebro de um piolho. Não me leve a mal, mas é a pura verdade. Completamente incapaz de qualquer trabalho intelectual. Mas, vejam bem, era um homem de grande personalidade e coragem, um desses tipos que vão ao Polo Norte ou entram em duelos. Sempre achei que era fanfarrão de propósito, porque sabia que sua inteligência não era das melhores. Qualquer um podia enganá-lo.

Poirot tirou a carta do bolso.

— Leia isto, Mademoiselle.

— Então foi por isto que o senhor veio!

— Esta carta lhe sugere alguma coisa?

Ela balançou a cabeça.

— Não. Mas é bem possível que seja verdade. Qualquer um seria capaz de roubar o pobre coitado. John diz que o procurador que o antecedeu no emprego enganava o velho a torto e a direito. Mas o senhor compreende, o velho era tão prepotente que jamais se rebaixaria a examinar detalhes. Ele era a alegria dos vigaristas.

— A senhorita pinta um quadro diferente dos demais.

— Bem... o velho escondia-se por trás de uma boa camuflagem. Vanda, minha mãe, dava todo o apoio. Ele se sentia feliz, pavoneando-se por aí, pretendendo ser o Todo-Poderoso. É por isso que, de uma certa maneira, estou contente com sua morte. Foi melhor para ele.

— Não consigo entendê-la, Mademoiselle.

— Ele estava piorando. Mais dia menos dia, iria acabar internado... As pessoas já começavam a falar abertamente.

— A senhorita sabia que ele pretendia fazer um novo testamento, no qual a senhorita só tomaria posse da herança se se casasse com Mr. Trent?

Ela deixou escapar um grito.

— Que absurdo! Seja como for, tenho certeza de que tal condição poderia ser anulada nos tribunais. Não se pode obrigar alguém a se casar com esta ou aquela pessoa.

— Mas se ele chegasse mesmo a assinar o testamento, a senhorita teria obedecido a sua vontade?

— Eu... eu...

Ruth interrompeu-se. Por dois ou três minutos permaneceu sentada com ar irresoluto, olhando a ponta de seus próprios pés. Um pedacinho de lama desprendeu-se do salto de um dos sapatos e caiu no tapete.

De repente, ela se levantou e disse:

— Esperem.

Ela saiu quase correndo e voltou em seguida com o capitão Lake a seu lado.

— Tínhamos de contar a verdade mais cedo ou mais tarde — anunciou. — É melhor dizermos tudo agora. John e eu nos casamos em Londres há três semanas.

X

Dos dois, o capitão Lake era quem parecia mais embaraçado.

— É uma grande surpresa, Miss Chevenix-Gore... ou melhor, Mrs. Lake — disse o major Riddle. — Ninguém sabia do casamento?

— Não. Mantivemos segredo, embora John não gostasse muito disso.

Lake disse, gaguejando um pouco:

— Eu... eu sei que foi um procedimento estranho. Sei que deveria ter ido direto a Sir Gervase...

Ruth o interrompeu:

— E ter dito que queria se casar com sua filha? Ele o poria para fora a pontapés, criando um escândalo dentro de casa e, provavelmente, me deserdando. Que grande consolo saber que tínhamos agido direito. Acredite, foi o melhor caminho. Se uma coisa está feita, está feita. Ainda haveria uma discussão, mas ele acabaria se dando por vencido.

Lake não parecia muito convencido, e Poirot perguntou:

— Quando a senhorita pretendia dar a notícia a Sir Gervase?

Ruth respondeu:

— Eu estava preparando o terreno. Ele andava desconfiado de alguma coisa entre mim e John, por isso fingi interesse em Godfrey. Assim, a notícia de meu casamento com John acabaria sendo um alívio para ele.

— Mas a senhorita não contou a alguém sobre o casamento?

— Bem, no fim acabei contando a Vanda. Eu queria tê-la do meu lado.

— E ela ficou do seu lado?

— Sim. O senhor compreende, ela não gostava muito da ideia de meu casamento com Hugo... acho que porque éramos parentes. Ela achava que a família era tão doida que nossos filhos não poderiam ser normais. Mas era exagero de Vanda, porque sou apenas filha adotiva, embora acredite que meus pais sejam primos longínquos do velho.

— A senhorita tem certeza de que Sir Gervase não suspeitava de algo?

— Tenho.

— Isso é verdade, capitão Lake? O senhor tem certeza de que o assunto não foi mencionado em sua conversa desta tarde com Sir Gervase?

— Posso garantir-lhe que não foi.

— Porque, capitão Lake, fomos informados de que Sir Gervase estava extremamente preocupado hoje à tarde, depois que o senhor saiu, e que, uma ou duas vezes, ele falou em desonra da família.

— Não tocamos no assunto — repetiu Lake, muito branco.

— Essa foi a última vez que o senhor viu Sir Gervase?

— Sim, já disse isso.

— Onde estava o senhor às 20h08?

— Onde estava? Em minha casa, a quase um quilômetro daqui.

— O senhor não veio a esta casa ou não esteve perto dela a essa hora?

— Não.

— E a senhorita, onde estava quando seu pai se suicidou?

— No jardim.

— No jardim? E a senhorita ouviu o tiro?

— Sim, mas pensei que fosse alguém caçando coelhos, embora o barulho realmente tivesse me parecido muito perto.

— Que caminho a senhorita usou para voltar para casa?

— Entrei por esta porta envidraçada.

Ruth indicou com a cabeça uma porta atrás dela.

— Havia alguém aqui?

194 AGATHA CHRISTIE

— Não. Mas Hugo, Susan e Miss Lingard entraram quase a seguir, vindos do hall. Falavam de tiros, crimes e coisas assim.

— Compreendo — disse Poirot. — Sim, creio que agora compreendo.

O major Riddle disse, um pouco hesitante:

— Bem... nós... muito obrigado. Creio que é tudo por enquanto.

Ruth e seu marido saíram da sala.

— Que diabo! — começou o major Riddle. — Este negócio cada vez fica mais complicado.

Poirot concordou. Ele apanhara o fragmento de lama que se destacara do sapato de Ruth e o observava, pensativo, na mão.

— É como o espelho partido na parede — respondeu. — O espelho do morto. Cada fato que descobrimos nos mostra um ângulo diferente do morto. É como uma imagem refletida sob os mais diversos pontos de vista. Mas, muito em breve, vamos ter um quadro completo...

Levantou-se e jogou o pedacinho de lama na cesta de papéis.

— Vou dizer-lhe uma coisa, meu amigo. A chave do mistério está no espelho. Vá ao escritório e olhe você mesmo, se não acredita.

O major Riddle respondeu decididamente.

— Se é assassinato, você é quem tem de provar. Em minha opinião, já falei, é suicídio. Você ouviu o que a moça disse sobre um antigo procurador enganando Sir Gervase? Aposto como Lake inventou aquela história para encobrir suas próprias falcatruas. Provavelmente, ele é quem estava roubando Sir Gervase, o velho desconfiou e mandou chamá-lo porque não sabia ainda a que ponto as coisas entre Lake e Ruth tinham chegado. Então, hoje à tarde, Lake lhe disse que tinham se casado. A notícia foi a última gota para Sir Gervase. Agora era "tarde demais" para qualquer coisa. Ele procurou uma saída para sua vergonha. Seu cérebro, que normalmente já não funcionava muito bem, perdeu de todo a razão. Em minha opinião, é o que aconteceu. O que você tem a dizer contra minha teoria?

Poirot interrompeu de súbito seu passeio pela sala.

— O que tenho a dizer? Isto: não tenho qualquer coisa a dizer contra sua teoria, mas é uma teoria que não vai muito longe. Há certas coisas que ela não leva em conta.

— Como por exemplo?

— As discrepâncias no comportamento de Sir Gervase hoje, o achado do lápis do coronel Bury, o depoimento de Miss Cardwell (que é muito importante), o que Miss Lingard disse sobre a ordem em que as pessoas chegaram para o jantar, a posição da cadeira de Sir Gervase quando seu corpo foi encontrado, o saco de papel que tinha laranjas e, finalmente, a pista muito importante do espelho partido.

O major Riddle olhou-o fixamente.

— Você vai querer dizer-me que toda essa mixórdia faz sentido?

Poirot respondeu suavemente:

— Espero fazer com que ela tenha sentido. Amanhã.

XI

Na manhã seguinte, Poirot acordou logo depois do nascer do sol. A ele fora destinado um quarto na parte leste da casa.

Levantando-se da cama, abriu as cortinas e certificou-se de que a manhã estava bonita e o sol já havia nascido.

Assim satisfeito, começou a vestir-se com a meticulosidade habitual, acabando por envergar um grosso sobretudo e enrolar um cachecol no pescoço.

Em seguida, esgueirou-se do quarto pé ante pé, dirigindo-se à sala de visitas no térreo. Abriu a porta, sem ruído, e saiu para o jardim.

O sol ainda mal aparecia e havia uma névoa no ar, a névoa que, em geral, precede um dia bonito. Hercule Poirot seguiu pela rua calçada ao redor da casa até chegar ao escritório de Sir Gervase, onde parou e examinou a cena.

Logo além da porta, havia uma faixa de grama que corria paralelamente à casa e, em frente, um canteiro largo com plantas e flores. As margaridas ainda estavam bonitas, apesar do começo do outono. Em frente ao canteiro, estava o caminho lajeado em que Poirot se encontrava. Uma trilha de grama atravessava o canteiro, estendendo-se do passeio, onde se achava Poirot, à faixa gramada logo contígua à casa. Poirot examinou-o com cuidado, mas acabou por balançar a cabeça. A seguir, concentrou-se no canteiro dos dois lados do caminho de grama.

Sua cabeça balançou vagarosamente. No canteiro à direita, havia pegadas claramente visíveis na terra macia.

Poirot olhava as pegadas, franzindo a testa, quando ouviu um ruído e ergueu a cabeça rapidamente.

Alguém abrira uma janela logo acima dele. Poirot viu surgirem uns cabelos ruivos e, emoldurados por eles, o rosto inteligente de Susan Cardwell.

— Que diabo o senhor está fazendo aí tão cedo, Monsieur Poirot? Alguma investigação?

Poirot curvou-se com impecável correção.

— Bom dia, Mademoiselle. Sim, a senhorita tem razão. A senhorita vê agora um detetive... um grande detetive, melhor dizendo... no ato de detectar.

Susan curvou a cabeça, como impressionada pela retumbante afirmação.

— Vou lembrar disso em minhas memórias — observou. — Devo descer e ajudá-lo?

— Ficaria encantado.

— Quando ouvi barulho aí embaixo, pensei que fosse um ladrão. Como é que o senhor saiu para o jardim?

— Pela sala de visitas.

— Estarei aí dentro de um minuto.

Ela foi extraordinariamente pontual. Poirot parecia ainda estar na mesma posição em que ela o deixara.

— A senhorita costuma acordar assim tão cedo?

— Não consegui dormir direito. Estava começando a sentir aquele desespero que acomete a gente quando dão 5 horas e ainda não pudemos dormir.

— Não é tão cedo assim.

— Se não é, parece. Mas então, meu superdetetive, o que devemos investigar?

— É só observar, Mademoiselle. Pegadas.

— E daí?

— Quatro pegadas — continuou Poirot. — Preste atenção, vou mostrar para a senhorita. Duas indo para o escritório, duas saindo dele.

— De quem são? Do jardineiro?

— Mademoiselle, Mademoiselle. Estas pegadas foram deixadas pelos sapatos delicados de uma mulher. Pise aqui ao lado na terra para convencer-se.

Susan hesitou um pouco, mas pisou com grande cautela no lugar indicado por Poirot. Ela estava usando chinelos marrons de salto alto.

— A senhorita vê, quase do mesmo tamanho. Mas apenas quase. Estas outras pegadas foram feitas por pés mais compridos que os seus. Talvez os de Miss Chevenix-Gore, ou de Miss Lingard, ou talvez de Lady Chevenix-Gore.

— De Lady Chevenix-Gore, não. Ela tem pés bem pequenos. Não sei como, mas antigamente todas as mulheres pareciam ter pés pequenos. E Miss Lingard usa sapatos de salto baixo.

— Então estas pegadas são de Miss Chevenix-Gore. Ah, sim... Agora me lembro. Ela me disse que esteve no jardim ontem à noite.

Poirot e Susan voltaram à casa pelo caminho de onde tinham vindo.

— Ainda estamos investigando? — perguntou Susan.

— Sim. Agora vamos ao escritório de Sir Gervase.

Poirot foi à frente, com Susan Cardwell a segui-lo.

A porta arrombada ainda pendia das dobradiças. O aposento conservava-se da mesma forma em que fora deixado na véspera. Poirot abriu as cortinas, deixando entrar a luz do dia.

Permaneceu calado por alguns instantes; depois perguntou à moça:

— Presumo que a senhorita não tenha tido grande experiência com ladrões?

Susan balançou a cabeça, desalentada:

— Temo que não, Monsieur Poirot.

— O delegado também parece ter poucos ladrões entre seus amigos. Seus contatos com o mundo do crime se desenvolvem numa base estritamente oficial. Mas comigo é diferente. Tive certa vez uma conversa muito agradável com um ladrão que me contou algo extremamente interessante a respeito dessas portas envidraçadas... um truque que pode ser feito com o trinco, se não se acha emperrado.

Enquanto falava, Poirot girou a maçaneta. A lingueta se ergueu, deixando o buraco no chão, e Poirot pôde puxar as duas folhas da porta em sua direção. Tendo-as aberto, fechou-as novamente... mas sem girar a maçaneta, de modo que a lingueta permaneceu no ar. Depois de um instante, Poirot deu uma pancada seca a meia altura da porta. O impacto fez a lingueta cair no encaixe. A maçaneta girou por si mesma.

— Compreende aonde eu quero chegar, Mademoiselle?

— Creio que sim.

— A porta está fechada. É impossível entrar no escritório, mas é possível sair dele, fechar a porta por fora e vibrar-lhe um golpe que faz a lingueta cair no encaixe. A porta está então trancada, e qualquer pessoa acreditaria que foi trancada pelo lado de *dentro*.

— E foi isso o que aconteceu ontem à noite? — perguntou Susan, com a voz trêmula.

— Acho que sim, Mademoiselle.

Susan gritou:

— Não acredito. Não é possível.

Poirot não respondeu. Dirigiu-se à lareira e virou-se de novo para a moça:

— Preciso da senhorita como mais uma testemunha. Já tenho Mr. Trent. Ele me viu encontrar este pedacinho de vidro ontem à noite, e conversamos a respeito. Deixei o vidro no mesmo lugar, para a polícia apanhá-lo. Cheguei mesmo a dizer ao delegado que o espelho partido era uma pista importante, mas ele não me deu ouvidos. Agora quero que a senhorita testemunhe que estou colocando este pedacinho de vidro em um envelope. E eu escrevo no envelope... assim... e depois o colo. A senhorita está observando tudo?

— Sim... mas não sei o que o senhor quer dizer.

Poirot caminhou até a outra extremidade do escritório. De lá olhou na direção da escrivaninha e do espelho partido por trás dela.

— Quero dizer, Mademoiselle, que se a senhorita estivesse aqui de pé ontem à noite, olhando na direção daquele espelho, a senhorita poderia ter visto nele um *crime sendo cometido...*

XII

Talvez pela primeira vez na vida, Ruth Chevenix-Gore (agora Ruth Lake) desceu na hora para o café da manhã. Hercule Poirot estava no hall e conduziu-a a um canto, antes que ela entrasse na sala de jantar.

— Tenho uma pergunta a lhe fazer, senhora.

— Pois não.

200   AGATHA CHRISTIE

— A senhora foi ao jardim ontem à noite. A senhora pisou no canteiro de flores fora do escritório de Sir Gervase?

Ruth olhou-o fixamente.

— Sim, duas vezes.

— Ah, *duas* vezes. Como duas vezes?

— Da primeira vez eu estava apanhando umas margaridas. Isso foi mais ou menos às 19 horas.

— Não lhe parece uma hora estranha para apanhar margaridas?

— Realmente era, mas, depois do chá, Vanda disse que as flores que eu apanhara de manhã para a mesa de jantar não estavam bonitas. Por isso, fui pegar outras.

— Quer dizer que sua mãe pediu a você para apanhar flores mais frescas?

— Sim. Eu fui apanhá-las pouco antes das 19 horas. Eu as tirei daquele canteiro justamente porque ele fica num lugar escondido e assim não estragaria o jardim.

— Está certo. Mas e a *segunda* vez?

— Foi pouco antes do jantar. Eu tinha derramado um pouco de creme em meu vestido, aqui perto do ombro. Não queria trocar de roupa, e nenhuma de minhas flores artificiais combinava com o que eu estava usando. Lembrei-me de ter visto uma rosa, que ainda florescia apesar do outono, enquanto colhia as margaridas, então voltei ao canteiro para colhê-la e prendê-la no ombro.

Poirot balançou a cabeça vagarosamente.

— Sim, lembro-me que a senhora usava uma rosa ontem à noite. A que horas a colheu?

— Não me lembro exatamente.

— Mas é *essencial* que a senhora se lembre. Faça um esforço. Ruth franziu a testa, deu uma rápida mirada em Poirot e desviou o olhar.

— Não posso dizer exatamente. Deve ter sido... ah, sim... deve ter sido mais ou menos uns cinco minutos depois das 20 horas. Foi quando eu estava de volta ao redor da casa que ouvi o gongo e, em seguida, aquele estranho barulho. Estava com pressa porque pensei que fosse o segundo e não o primeiro aviso.

— Ah, a senhora pensou isso... e a senhora não tentou abrir a porta do escritório que dava para o jardim enquanto estava colhendo sua rosa?

— Para dizer a verdade, tentei. Pensei que ela pudesse estar aberta e o caminho de volta seria mais curto. Mas a porta estava trancada.

— Então está tudo explicado. Dou-lhe meus parabéns, senhora.

Ela o olhou com um ar surpreso.

— O que o senhor quer dizer?

— Que a senhora tem uma explicação para tudo, para a lama em seus sapatos, para suas pegadas no canteiro, para suas impressões digitais do lado de fora da porta. Tudo muito conveniente.

Antes que Ruth pudesse responder, Miss Lingard desceu as escadas quase correndo. Seu rosto estava afogueado, e parecia um pouco alarmada de ver Ruth e Poirot juntos.

— Desculpem-me — falou. — Há algum problema?

Ruth respondeu furiosa:

— Acho que Monsieur Poirot enlouqueceu!

E deixou-os, entrando na sala de jantar. Miss Lingard voltou-se para Poirot com uma expressão espantada.

Ele sacudiu a cabeça.

— Vou explicar tudo depois do café. Gostaria de que todos se reunissem às 10 horas no escritório de Sir Gervase.

Entrando na sala, Poirot repetiu seu pedido. Susan Cardwell mirou-o de relance e depois olhou Ruth.

Hugo Trent então perguntou:

— Por quê? — mas calou-se ao receber uma rápida cotovelada da namorada.

202   AGATHA CHRISTIE

Ao terminar seu café, Poirot levantou-se e caminhou em direção à porta. Lá chegando, voltou-se, tirou do bolso um relógio grande e fora de moda, e anunciou:

— Faltam cinco para as dez. Às 10 horas em ponto, no escritório.

Poirot olhou ao redor. Um grupo de rostos estudava-o com grande interesse. Todos estavam lá, com uma única exceção, e dentro de segundos aquela exceção também entrava no escritório. Lady Chevenix-Gore chegou quase sem fazer ruído. Parecia pálida e cansada.

Poirot ofereceu-lhe uma cadeira, e ela se sentou. Ao fazer isso, olhou o espelho partido na parede, estremeceu e virou um pouco a cadeira, de modo a olhar em outra direção.

— Gervase ainda está aqui — comunicou em voz calma.

— Pobre Gervase... seu espírito em breve será libertado.

Poirot pigarreou e anunciou:

— Chamei-os aqui para ouvir os verdadeiros fatos sobre o suicídio de Sir Gervase.

— Foi o destino — disse Lady Chevenix-Gore. — Gervase era forte, mas seu destino era mais.

O coronel Bury moveu-se um pouco para a frente.

— Minha pobre Vanda.

Ela sorriu e estendeu-lhe a mão. Ele a segurou. Lady Chevenix-Gore disse baixinho:

— Você é tão bom, Ned.

Ruth interrompeu-a asperamente:

— Devemos acreditar, Monsieur Poirot, que o senhor descobriu, sem possibilidade de erro, a causa do suicídio de meu pai?

Poirot balançou a cabeça.

— Não, senhora.

— Então para que tanta encenação?

— Não descobri a causa do suicídio de Sir Gervase Chevenix-Gore *porque Sir Gervase Chevenix-Gore não se suicidou*. Ele não se matou. *Foi assassinado.*

— Assassinado? — diversas vozes ecoaram a palavra. Rostos perplexos voltavam-se na direção de Poirot.

Lady Chevenix-Gore ergueu os olhos e murmurou:

— Assassinado? Não! — E balançou a cabeça vagarosamente.

— O senhor diz assassinado? — era Hugo quem falava dessa vez. — É impossível. Não havia alguém no escritório quando entramos. A porta que dá para o jardim estava fechada por dentro. A do corredor estava trancada, com a chave no bolso de meu tio. Ele não pode ter sido assassinado.

— Mas foi.

— E o assassino saiu pelo buraco da fechadura? Ou pela chaminé? — perguntou o coronel Bury, irônico.

— O assassino saiu pela porta do jardim — anunciou Poirot.

— Vou mostrar-lhes como.

Poirot fez a mesma demonstração que fizera mais cedo para Susan Cardwell.

— Compreendem agora? Foi assim que o assassino saiu. Desde o começo, achei impossível que Sir Gervase tivesse se suicidado. Ele tinha uma grande egomania, e homens assim não se matam.

"E havia mais — continuou Poirot. — Aparentemente, pouco antes de sua morte, Sir Gervase tinha sentado à escrivaninha, rabiscado a palavra DESCULPEM num pedaço de papel e então dado um tiro na cabeça. Mas, antes disso, por alguma estranha razão, mudara a posição da cadeira, girando-a de forma que ela ficasse de lado em relação à mesa. Por quê? Devia haver algum motivo. Comecei a compreender melhor quando encontrei um pequenino pedaço de vidro grudado à base de uma pesada estatueta de bronze.

"Então perguntei a mim mesmo — continuou Poirot —, 'como um pedaço de vidro veio parar aqui?' E a resposta me pareceu bem óbvia. O espelho foi quebrado não por uma bala, *mas pela estatueta*. O espelho fora quebrado *deliberadamente*. Mas por quê? Voltei à escrivani-

204 AGATHA CHRISTIE

nha, olhei a cadeira. Sim, era claro. Tudo estava errado. Nenhum suicida iria girar a cadeira, inclinar-se sobre sua borda e só então disparar um tiro na cabeça. Tudo não passava de uma encenação, pois não houvera suicídio."

Fez uma pausa.

"E então surgiu outra coisa muito importante. O depoimento de Miss Cardwell. Miss Cardwell declarou ter descido correndo as escadas ontem à noite porque pensou ter ouvido o *segundo* gongo. Isso quer dizer que ela antes julgara ter ouvido um *primeiro*.

"Agora, prestem atenção. Se Sir Gervase estivesse sentado à sua escrivaninha em posição normal, onde teria ido à bala? Voando em linha reta, ela sairia pela porta, se ela estivesse aberta, e *atingiria o gongo*."

Poirot suspirou.

"Percebem a importância do depoimento de Miss Cardwell? Ninguém mais ouviu aquele primeiro gongo, mas o seu quarto se encontra exatamente acima deste escritório e sua posição era ideal para ouvi-lo. Não havia, portanto, possibilidade alguma de suicídio. Um homem morto não pode se levantar, fechar a porta, trancá-la e sentar-se novamente. Havia mais alguém no escritório e, portanto, não se trata de suicídio e, sim, de assassinato. Alguém cuja presença parecia natural a Sir Gervase estava a seu lado, falando com ele. É provável que Sir Gervase estivesse concentrado em alguma coisa que escrevia. O assassino aponta o revólver para sua cabeça e dispara. O crime está cometido. É preciso disfarçá-lo! O assassino coloca luvas, fecha a porta e coloca a chave no bolso de Sir Gervase. Mas suponhamos que alguém tivesse ouvido o barulho do gongo. Seria fácil compreender assim que a porta estava aberta, não fechada. Então a cadeira é posta em outra posição, o corpo cuidadosamente ajeitado, os dedos comprimidos firmemente no revólver, o espelho deliberadamente despedaçado. A seguir o assassino sai pela porta, dá um golpe nela por fora e sai pisando não na grama, mas no canteiro, onde seria mais fácil desmanchar as pegadas com um ancinho; a seguir, contorna a casa e entra na sala de visitas."

Poirot fez uma pausa e continuou:

— *Há apenas uma pessoa que estava no jardim quando o tiro foi disparado.* Essa mesma pessoa deixou suas pegadas no canteiro e suas impressões digitais do lado de fora da porta do jardim.

Ele se moveu em direção a Ruth.

— E havia um motivo, não havia? Seu pai descobrira a verdade sobre seu casamento secreto. Estava se preparando para deserdá-la.

— É mentira — gritou Ruth numa voz cheia de desprezo. — Não há uma palavra de verdade em sua história. É mentira do começo ao fim.

— As provas contra a senhora são muito fortes. Pode ser que um júri acredite em sua inocência. Pode ser que não.

— Ela não precisará enfrentar um júri.

Os outros se voltaram, espantados. Miss Lingard estava de pé, com o rosto desfigurado. Ela tremia dos pés à cabeça.

— *Eu* o matei. Confesso tudo. Tinha meus motivos e só estava esperando uma oportunidade. Monsieur Poirot está certo. Eu o segui ao escritório, já com a pistola, que tirara antes da gaveta. Coloquei-me de pé a seu lado, falando sobre o livro... e disparei o tiro. Foi logo depois das 20 horas. A bala atingiu o gongo. Eu nunca imaginara que ela ia atravessar sua cabeça daquele jeito. Não havia tempo de sair e procurar por ela. Assim, tranquei a porta e coloquei a chave no seu bolso. Depois girei a cadeira, quebrei o espelho e, após escrever DESCULPEM em letra de forma?, saí pela porta do jardim como Monsieur Poirot descreveu. Pisei no canteiro, mas desmanchei minhas pegadas com um ancinho que já tinha deixado ali. Então voltei à sala de visitas, onde deixara a porta que dá para o jardim aberta. Não sabia que Ruth também saíra por ali. Ela deve ter dado a volta pela frente da casa enquanto eu ia pelos fundos, pois precisava pôr o ancinho no depósito de ferramentas. Esperei na sala de visitas até que ouvi passos descendo as escadas e Snell caminhando para o gongo. Então...

Ela se virou para Poirot.

— O senhor sabe o que eu fiz então?

— Sim, sei. Encontrei o saco de papel na cesta. Foi uma ideia muito engenhosa. A senhora simplesmente repetiu um truque que as crianças adoram: encheu o saco de ar e o estourou. Fez um barulho satisfatório. Depois a senhora atirou o saco na cesta e foi para o hall. A senhora acabara de estabelecer a hora do suicídio — e um álibi para si mesma. Mas havia ainda uma coisa que a preocupava — a bala que não tivera tempo de apanhar. Ela devia estar perto do gongo. Era fundamental, porém, que fosse encontrada no escritório, perto do espelho. Só não sei quando lhe ocorreu a ideia de lançar mão do lápis do coronel Bury.

— Foi naquela hora mesmo — disse Miss Lingard. — Quando todos entramos na sala de visitas, vindos do hall. Fiquei surpresa ao ver Ruth lá e compreendi que ela deveria ter vindo do jardim. Então vi o lápis do coronel Bury sobre a mesa de bridge e disfarçadamente o coloquei em minha bolsa. Se alguém mais tarde me visse apanhar a bala, poderia fingir que era o lápis. Mas, na verdade, não pensei que alguém tivesse me visto apanhando a bala. Quando todos olhavam o corpo, deixei-a cair perto do espelho. Quando o senhor disse que me vira pegando alguma coisa no chão, fiquei contente por ter pensado no lápis.

— Sim, a senhora foi muito astuta. O lápis me confundiu por completo.

— Temia que alguém tivesse ouvido o verdadeiro tiro, mas sabia também que todos estavam se vestindo para o jantar e que os criados estariam em suas dependências. A única que poderia ouvi-lo seria Miss Cardwell, mas ela, provavelmente, pensaria tratar-se de um cano de descarga. Mesmo assim, ela apenas ouviu o impacto da bala no gongo, pensando que fosse a primeira chamada para o jantar. Pensei... pensei que tudo tivesse corrido à perfeição.

Mr. Forbes disse com sua voz precisa.

— É uma confissão extraordinária. Parece não haver motivos...

Miss Lingard interrompeu-o:

— Havia um motivo.

— Vamos, chamem a polícia. O que estão esperando?

Poirot interveio:

— Vocês se incomodam de sair do escritório? Mr. Forbes, chame o major Riddle, por favor. Ficarei aqui até a chegada dele.

Vagarosamente, um por um, os demais saíram da sala. Atônitos ainda, sem compreender, davam olhares de esguelha à pequena mulher que permanecia de pé, quase orgulhosa, com seu cabelo grisalho cuidadosamente repartido.

Ruth foi a última a sair. Hesitou ainda na porta.

— Não compreendo — disse, por fim, num tom de voz ainda irritado, como quem acusa Poirot. — Ainda há pouco o senhor acreditava que eu tivesse matado meu pai.

— Não, não — disse Poirot, balançando a cabeça. — Nunca acreditei nisto.

Ruth saiu.

Poirot ficou só com a empertigada Miss Lingard, a aparentemente tranquila senhorita de meia-idade que acabara de confessar um crime cometido a sangue-frio.

— Não — concordou Miss Lingard. — O senhor não acreditava que *ela* tivesse cometido o crime. Acusou-a para que eu confessasse, não?

Poirot assentiu.

— Enquanto esperamos — continuou Miss Lingard em tom coloquial —, bem que o senhor poderia me dizer o que o levou a suspeitar de mim.

— Diversas coisas. Em primeiro lugar, sua descrição de Sir Gervase. Um homem orgulhoso como ele jamais se referiria em termos pejorativos a seu sobrinho na presença de uma estranha, especialmente, alguém como a senhora que, afinal de contas, era sua empregada. A senhora procurava fortalecer a hipótese de suicídio. Também se esforçou demais ao tentar convencer-me que a causa do suicídio foi uma desonra relacionada com Hugo Trent. Esse era outro fato que Sir Gervase jamais admitiria para um subordinado. Havia ainda o objeto que a senhora apanhou no hall e o fato de que, ao me dizer que Ruth entrara na sala de visitas, omitiu o detalhe de que fora pela *porta do jardim*. E finalmente encontrei o saco de compras — algo que dificilmente se poderia esperar encontrar na sala de visitas de uma mansão como Hamborough Close. A senhora era a única pessoa que estava na sala de visitas quando o "tiro" foi ouvido. O saco de papel é um truque tipicamente feminino... digamos assim, um truque doméstico. Tudo se ajustava. A tentativa de lançar suspeitas sobre Hugo, o mecanismo do crime... e até seu motivo.

Miss Lingard estremeceu.

— O senhor conhece o motivo?

— Creio que sim. O motivo do crime foi a felicidade de Ruth. Acho que a senhora sabia ou desconfiava do que havia entre John Lake e ela. E como tinha acesso aos papéis de Sir Gervase, leu o rascunho de seu novo testamento, que deserdava Ruth, a não ser que ela se casasse com Hugo Trent. Isso a levou a decidir-se por fazer justiça com as próprias mãos. Quando ele escreveu chamando-me a esta casa, a senhora achou a oportunidade ideal, pois poderia fingir depois, como fingiu, que ele estava extremamente preocupado com algum problema familiar envolvendo Hugo Trent. Nunca saberei o que levou Sir Gervase a me escrever. Provavelmente, alguma suspeita vaga de que estava sendo roubado por Burrows ou por Lake. Mas tenho certeza de que quem me mandou o telegrama foi a senhora, preparando o cenário para dizer depois que Sir Gervase se referira à minha chegada com um "tarde demais".

Miss Lingard disse arrebatadamente:

— Gervase Chevenix-Gore era um tirano, um esnobe e um convencido. Eu não iria permitir que ele arruinasse a felicidade de Ruth.

Poirot disse suavemente:

— Ruth é sua filha, não?

— Sim. Ela é minha filha. Nunca deixei de pensar nela. Quando soube que Sir Gervase Chevenix-Gore procurava alguém que o ajudasse a escrever a história de sua família, aproveitei a oportunidade. Queria ver minha filha e sabia que Lady Chevenix-Gore não me reconheceria. Ela não me via há muito tempo, e, naquela época, eu era jovem e bonita. Mesmo meu nome fora mudado. Além do mais, Lady Chevenix-Gore é muito distraída para gravar o rosto de alguém durante tanto tempo. Eu gostava dela, mas odiava a família Chevenix-Gore, que tinha me tratado como se eu fosse uma intocável. E agora Gervase queria arruinar a vida de Ruth com seu orgulho e seu esnobismo. Mas eu estava decidida a fazer Ruth feliz. E ela será feliz... *se nunca lhe contarem a meu respeito.*

Era um apelo, não uma afirmação.

Poirot curvou-se:

— Não direi qualquer coisa a alguém.

Miss Lingard respondeu serenamente:

— Obrigada.

Mais tarde, depois que a polícia já saíra com Miss Lingard, Poirot encontrou Ruth Lake com o marido no jardim.

Ela disse em tom desafiador:

— O senhor pensava mesmo que eu tivesse matado meu pai, Monsieur Poirot?

— Madame, eu sabia que a senhora não poderia ter matado seu pai... por causa das margaridas.

— As margaridas? Não compreendo.

— Madame, havia *apenas* quatro pegadas no canteiro. Mas deveria haver muitas mais, pois a senhora estivera lá colhendo flores. O que significa que entre sua primeira e sua segunda visita, *alguém havia desmanchado* todas as pegadas. Isso só podia ter sido feito pelo assassino e, como as pegadas da segunda visita *não* haviam sido removidas, a senhora *não era* a criminosa. Sua inocência estava automaticamente estabelecida.

O rosto de Ruth se iluminou.

— Ah, compreendo agora. O senhor sabe... talvez seja horrível o que vou dizer, mas sinto pena daquela pobre mulher. Afinal de contas, ela preferiu confessar a me ver presa... ou, pelo menos, ela pensava que eu poderia ser presa. Ela agiu de uma maneira muito... muito nobre. Não me agrada a ideia de vê-la submetida a um julgamento por homicídio.

Poirot respondeu.

— Não se aflija. Ela não chegará a ser julgada. O médico acaba de me dizer que ela tem um sério problema cardíaco e não viverá mais que algumas semanas.

— É melhor assim — disse Ruth.

E concluiu, enquanto pegava uma flor e a acariciava de encontro ao rosto:

— Pobre mulher. Por que terá feito aquilo?

Triângulo de Rhodes

I

Sentado na areia branca, Hercule Poirot olhava ao longe o mar azul. Estava solenemente vestido com um terno branco de flanela, a cabeça bem protegida por um grande chapéu panamá. Poirot pertencia à geração antiquada que acreditava no máximo possível de proteção contra o sol. Miss Pamela Lyall, sentada a seu lado e falando sem cessar, representava o pensamento moderno, pois usava o mínimo possível de pano sobre o corpo queimado de sol.

De vez em quando, ela se besuntava um pouco mais com um vidro de óleo colocado a seu lado, na areia.

Do outro lado de Miss Pamela Lyall, sua grande amiga, Miss Sarah Blake, estava deitada de bruços numa espalhafatosa toalha listrada. O bronzeado de Miss Blake era absolutamente perfeito, o que levava sua amiga a dirigir-lhe de tempos em tempos olhares invejosos.

— Ainda estou cheia de manchas — queixou-se ela, tristonha.

— Monsieur Poirot, será que o senhor se incomodaria de passar um pouco de óleo aqui nos meus ombros, onde não consigo alcançar?

Monsieur Poirot atendeu-a e depois limpou cuidadosamente a mão em seu lenço. Miss Lyall, cujos principais interesses na vida eram o estudo da espécie humana ao seu redor e o som de sua própria voz, continuou a falar.

— Eu tinha razão sobre aquela mulher... aquela no modelo Chanel. Ela é Valentine Dacres... quer dizer, Chantry. Eu a reconheci logo. Ela é linda, não? É fácil entender por que tanta gente se apaixona por ela. Ela obviamente não espera deles outra atitude... o que é metade da batalha ganha. Aquele outro casal que chegou ontem são os Gold. Ele é muito bem-apessoado.

— Estão em lua de mel? — perguntou Sarah numa voz abafada. Miss Lyall balançou a cabeça com ar experiente.

— Não. As roupas dela não são tão novas assim. Sempre posso dizer quando uma moça está em lua-de--mel. O senhor não acha que a coisa mais fascinante do mundo é observar as pessoas, Monsieur Poirot, e descobrir uma porção de coisas sobre elas com o simples fato de analisá-las?

— Não é só análise, minha querida — interrompeu Sarah. — Você também faz uma porção de perguntas.

— Ainda nem falei com os Gold — respondeu Miss Lyall com dignidade. — E de qualquer jeito não vejo mal algum em nos interessarmos pelos seres humanos. Não há nada mais fascinante que a natureza humana. O senhor não acha, Monsieur Poirot?

Dessa vez Miss Lyall fez uma pausa suficientemente grande para uma resposta de Poirot.

Sem tirar os olhos do mar, ele replicou:

— *Ça depend.*

— Oh, Monsieur Poirot. Não creio que possa haver nada mais interessante, mais... mais imprevisível que os seres humanos.

— Imprevisível? Não, isso não.

— Mas eles são imprevisíveis. Quanto mais o senhor pensa que os conhece, mas eles o surpreendem.

Poirot balançou a cabeça.

— Não, não, não é verdade. Raríssimas vezes alguém faz uma coisa que não esteja *dans son caractère*. No fim, chega a ser monótono.

— Discordo completamente do senhor — disse Miss Pamela Lyall.

Ela ficou quase um minuto em silêncio antes de voltar à ofensiva.

— Assim que vejo pessoas, começo a pensar no que elas são, como são, no que estão pensando, no que estão sentindo. É muito excitante.

— De jeito algum — discordou Poirot. — A natureza humana repete-se com mais frequência do que suspeitamos. O mar tem muito mais variedade.

Sarah virou-se para ele e perguntou:

— O senhor acha que os seres humanos tendem a repetir certas fórmulas de comportamento? Fórmulas estereotipadas?

— *Précisément* — disse Poirot, enquanto fazia com o dedo um desenho na areia.

— O que o senhor está desenhando? — perguntou Pamela, com curiosidade.

— Um triângulo — respondeu Poirot.

Mas a atenção da moça já se voltara em outra direção.

— Olhem aí os Chantry — anunciou.

Uma mulher vinha caminhando pela praia: alta, muito segura de si e de seu corpo. Ela esboçou um sorriso e um aceno de cabeça, e foi se sentar um pouco adiante na praia. O roupão de seda vermelho e dourado escorregou de seus ombros. Seu maiô era branco.

Pamela suspirou.

— Ela não tem um corpo lindo?

Mas Poirot olhava seu rosto — o rosto de uma mulher de 39 anos, que desde os 16 era famosa por sua beleza.

Como todo o mundo, ele sabia muitas coisas de Valentine Chantry. Era famosa por muitas razões — por seus caprichos, por sua fortuna, por seus enormes olhos azuis, por suas aventuras matrimoniais e extramatrimoniais. Tivera cinco maridos e um número ainda maior de amantes. Já fora casada com um conde italiano, um magnata norte-americano do aço, um jogador profissional de tênis, um piloto de carros de corrida. Desses quatro, o empresário morrera, mas os outros foram displicentemente descartados em processos de divórcio. Seis meses atrás, ela se casara pela quinta vez — com um comandante da marinha.

Era ele quem caminhava atrás dela. Era um tipo moreno, silencioso, com um queixo quadrado e um ar feroz. Tinha algo de um homem de Neandertal.

214 AGATHA CHRISTIE

Ela falou:

— Tony, meu querido... minha cigarreira.

Ele já a tinha aberto para ela e não só acendeu seu cigarro como a ajudou a baixar as alças do maiô. Ela se deitou ao sol, com os braços abertos. Ele se posicionou a seu lado, como um animal selvagem que guarda sua presa.

Pamela comentou num tom de voz suficientemente baixo para que o casal não a ouvisse:

— Eles me interessam *terrivelmente*... Ele parece ser um brutamontes! Tão caladão, com um ar tão furibundo... Suponho que mulheres como ela gostem de tipos assim. Deve ser como controlar um tigre! Só não sei quanto tempo esse casamento vai demorar. Ela se cansa deles rapidamente. Mas, se ela tentar se livrar deste, acho que ele vai ser perigoso.

Outro casal se aproximava, timidamente. Eram os recém-chegados da véspera — Mr. e Mrs. Douglas Gold —, que Miss Lyall sabia por ter inspecionado o livro de registro de hóspedes. O livro especificava não apenas o sobrenome como os prenomes e a idade de cada um.

Mr. Douglas Cameron Gold tinha 31 anos e Mrs. Marjorie Emma Gold, 35 anos.

Como já foi dito, o hobby de Miss Lyall era o estudo dos seres humanos. Ao contrário da grande maioria dos ingleses, era capaz de falar à primeira vista com estranhos, em vez de deixar passar uma semana antes de encetar os primeiros tímidos esforços, como é o típico hábito britânico. Sendo assim, ao notar o embaraço e a hesitação de Mrs. Gold, ela tomou a iniciativa:

— Bom dia. Não está uma manhã maravilhosa?

Mrs. Gold era uma mulher pequena, lembrando, de certa forma, um camundongo. Não era feia, pelo contrário, pois tinha traços bem-feitos e uma boa pele, mas havia nela um ar de acanhamento e falta de confiança em si mesma que levava as pessoas a lhe darem pouca atenção. Já seu marido era extremamente bem-apessoado, de um jeito quase teatral, com cabelos louros e crespos, olhos azuis, ombros largos e quadris estreitos. Parecia mais um artista num palco do que um homem da vida comum, mas, assim que abriu a boca, a impressão desapareceu. Ele era natural, sem qualquer afetação, talvez até meio simplório.

Mrs. Gold sorriu agradecida a Pamela e sentou-se perto dela.

— Como seu bronzeado está bonito! Eu me sinto terrivelmente branca.

— Mas dá muito trabalho um bronzeado assim — suspirou Miss Lyall.

Fez uma pequena pausa e depois prosseguiu:

— Vocês são recém-chegados, não?

— Sim, chegamos ontem à noite. Viemos de navio, pela Vapo d'Italia.

— Vocês nunca tinham vindo a Rhodes?

— Não. É uma beleza.

— Pena que seja tão longe.

— Ah, sim, se fosse mais perto da Inglaterra...

Com a voz abafada pela toalha, Sarah comentou:

— Aí seria horrível. Já pensaram estas praias cheias de ingleses, sem lugar para a gente se mexer?

— É verdade — respondeu Douglas Gold. — É uma maçada que a lira italiana esteja tão por baixo no momento.

A conversa prosseguiu por alguns minutos dentro de uma linha estereotipada. Ninguém poderia chamá-la de brilhante.

Deitada um pouco adiante na areia, Valentine Chantry subitamente espreguiçou-se e sentou-se, tomando cuidado para não deixar o maiô escorregar sobre o busto.

Deu um bocejo, um bocejo bem evidente mas ao mesmo tempo gracioso e felino, enquanto olhava ao redor com uma expressão casual. Seu olhar pousou rapidamente sobre Marjorie Gold e, depois, fixou-se, com ar pensativo, nos cabelos dourados de Douglas Gold.

Ela fez um movimento sinuoso e falou numa voz um pouco mais alta do que seria necessário para se comunicar com o marido.

— Tony, meu amor, este sol não está divino? Devo ter sido uma adoradora do sol em outra encarnação, você não acha?

O marido limitou-se a uma resposta baixa que os outros não puderam entender, mas Valentine continuou em tom alto e estudado:

— Será que você pode estender melhor esta toalha para mim, meu amor?

Ela tomou cuidados infinitos para ajeitar de novo seu belo corpo sobre a toalha. Douglas Gold olhava-a agora e havia uma expressão de interesse em seu rosto.

Mrs. Gold observou em tom alegre a Miss Lyall:

— Que mulher linda!

Pamela, que gostava tanto de dar quanto de receber informação, respondeu baixo:

— Ela é Valentine Chantry, a mesma que já foi Valentine Dacres. Ainda é muito bonita, não? O marido parece doido por ela. Não a deixa sair de perto.

Mrs. Gold olhou o mar, e então disse:

— Vamos dar uma nadada, Douglas? A água parece estar ótima.

Ele ainda olhava Valentine Chantry e custou um pouco a responder. Finalmente, disse com ar distraído:

— Nadar? Ah, sim. Ou melhor, daqui a pouco.

Marjorie Gold levantou-se e caminhou sozinha para a água. Valentine Chantry virou-se ligeiramente em sua toalha. Seu olhar encontrou-se com o de Douglas Gold. Ela lhe deu um leve sorriso.

O pescoço de Mr. Douglas Gold ficou um pouco vermelho.

Valentine Chantry falou:

— Tony, meu bem, lembrei-me de que preciso de um vidro de creme que esqueci sobre a mesa. Será que você se incomoda de apanhá-lo para mim?

O comandante pôs-se obedientemente de pé e seguiu rumo ao hotel.

Marjorie Gold entrou no mar, chamando:

ASSASSINATO NO BECO

— A água está ótima, Douglas. Por que você não vem?
Pamela Lyall perguntou:
— Você não vai com sua mulher?
Ele respondeu com ar vago:
— Gosto de apanhar um pouco de sol primeiro.
Valentine Chantry ergueu a cabeça um instante, como se fosse chamar o marido, mas ele acabara de transpor o jardim do hotel.
— Só gosto de cair antes de ir embora — explicou Douglas Gold.
Mrs. Chantry sentou-se novamente e pegou um vidro de óleo de bronzear, mas pareceu ter dificuldades com a tampa.
— Puxa, como está dura — disse, enquanto olhava o grupo e continuava: — Será que alguém...
Poirot ergueu-se como um perfeito cavalheiro, mas Douglas Gold, mais jovem e mais ágil, já tomara a dianteira:
— Posso ajudá-la?
— Muito obrigada — veio a resposta em tom quase aliciante. — Você é muito amável. Sou tão desastrada com estas coisas, sempre acabo apertando em vez de abrir. Ah, você conseguiu. Muito obrigada mesmo...
Hercule Poirot sorriu consigo mesmo, depois ergueu-se e começou a caminhar ao longo da praia, na direção oposta. Caminhou lentamente e não chegou a se afastar muito. Estava já voltando, quando Mrs. Gold saiu da água e juntou-se a ele. Ela usava uma touca e seu rosto estava radiante.
Falou, quase sem fôlego:
— Adoro o mar. E a água hoje está ótima.
Poirot pôde ver que ela era uma nadadora entusiasta.
Ela acrescentou:
— Douglas também adora nadar. Às vezes, fica horas dentro d'água.
Ao ouvir isso, Hercule Poirot dirigiu o olhar ao ponto em que aquele nadador fanático, Mr. Douglas Gold, estava sentado ao lado de Valentine Chantry.

Sua mulher continuava:

— Não sei por que ele não vem...

Sua voz tinha uma perplexidade infantil.

Poirot continuava a olhar para Valentine Chantry, pensando que muitas outras mulheres já teriam feito perguntas semelhantes à de Mrs. Gold.

A seu lado, ela finalmente deixou escapar uma observação em tom seco:

— Todos dizem que ela é muito atraente, mas não faz o tipo de Douglas.

Hercule Poirot não respondeu. Mrs. Gold foi nadar outra vez.

Afastou-se da praia em braçadas lentas e ritmadas. Podia-se ver que adorava a água.

Poirot voltou ao lugar onde estivera sentado.

O grupo aumentara com a chegada do velho general Barnes, um veterano que, aparentemente, só apreciava a companhia das jovens. Ele se sentara entre Pamela e Sarah e tinha travado com a primeira uma animada conversa sobre as fofocas mais recentes.

O comandante Chantry já tinha voltado de sua missão e sentou-se do outro lado de Valentine, com uma expressão aborrecida.

Valentine agora conversava animadamente com Douglas Gold, virando-se de vez em quando para o marido, para que ele pudesse acompanhar o assunto. Ela estava acabando de contar um caso:

— ... e o que você acha que ele disse? "Pode ter sido apenas um minuto, mas eu jamais me esqueceria da senhora, madame!" Não foi, Tony? Acho que foi tão simpático da parte dele! Todos são tão bons comigo... não sei por quê, mas são... Mas eu disse a Tony, você se lembra, querido? "Tony, se você quer ser um pouco ciumento, um pouco só, pode começar a ter ciúmes deste carregador." Porque ele era mesmo adorável...

Houve uma pausa, e Douglas Gold comentou:

— Alguns desses carregadores são ótimos sujeitos.

— Aquele pelo menos era. Ele se deu a tanto trabalho que você nem imagina, e parecia fazer aquilo só pelo prazer de me ajudar.

Douglas Gold disse:

— Não há qualquer coisa de estranho nisso. Qualquer um gostaria de ajudá-la.

Valentine Chantry exclamou deliciada:

— Como você é gentil! Você ouviu, Tony?

O comandante Chantry deixou escapar um rosnado.

Sua mulher suspirou:

— Tony não é de falar muito. É, querido? Sua mão branca acariciou seu cabelo escuro.

— Na verdade, não sei como ele me tolera. Ele é terrivelmente inteligente, e eu passo o tempo todo a tagarelar sobre coisas sem importância. Mas parece que ele não se zanga. Ninguém se zanga comigo, todos me estragam. Não pode me fazer bem.

O comandante Chantry dirigiu-se a Douglas Gold:

— Aquela moça na água é sua mulher?

— Sim. Já está na hora de eu cair também.

Valentine murmurou:

— Mas o sol está tão gostoso... não vá cair já. Tony meu amor, acho que não vou cair hoje. Não é bom logo no primeiro dia. Posso pegar um resfriado ou qualquer coisa assim. Mas por que você não vai nadar, meu amor? Mr.... Douglas me fará companhia enquanto você nada.

Chantry respondeu de mau humor:

— Não, obrigado. Não vou cair já. Sua mulher parece estar chamando você, Gold.

Valentine disse.

— Sua mulher nada muito bem. Tenho certeza de que deve ser uma dessas mulheres eficientes, que faz tudo direito. Elas costumam me dar medo, pois tenho a impressão de que me acham uma débil mental. Sou completamente desastrada com tudo o que faço. Tony, querido, você não me acha uma inútil?

Mas novamente o comandante Chantry limitou-se a rosnar algo incompreensível.

Valentine murmurou afetuosamente:

— Você é bonzinho demais para dizer que eu sou. Os homens são tão leais... é a qualidade que mais aprecio neles. Os homens são muito mais nobres que as mulheres... pelo menos, nunca procuram dizer coisas para ferir a gente. Acho que as mulheres são muito *mesquinhas*.

Sarah Blake rolou sobre si mesma, voltando-se para Poirot, e murmurou entre dentes:

— Posso dar um exemplo de mesquinharia: dizer que a querida Mrs. Chantry não é tão perfeita quanto pensa. Na verdade, acho-a uma idiota completa, uma das mulheres mais idiotas que já conheci. Tudo que ela sabe dizer é "Tony querido" e revirar os olhos. Deve ter uma cabeça recheada de algodão em vez de cérebro.

Poirot ergueu suas expressivas sobrancelhas.

— *Un peu sévère!*

— Pode achar-me mesquinha, se o senhor quiser. Mas esta Chantry é uma boa bisca. Será que não pode deixar homem algum sossegado? Seu marido está com uma cara furiosa.

Olhando o mar, Poirot observou:

— Mrs. Gold nada bem.

— É, ela não se incomoda de se molhar, como a maioria de nós. Gostaria de saber se Mrs. Chantry vai entrar na água alguma vez enquanto estiver aqui.

— Aposto que não — disse o general Barnes roucamente. — Ela não vai querer estragar sua maquiagem. Não que ela não seja bonita, mas já está ficando velhinha.

— Ela está olhando para o senhor, general — disse Sarah maldosamente. — E, de qualquer maneira, o senhor não tem razão em relação à maquiagem. Hoje em dia, todas nós somos à prova d'água e de beijos.

— Mrs. Gold está saindo — anunciou Pamela.

— As duas querem buscar lã — murmurou Sarah. — Vamos ver quem vai sair tosquiada.

Mrs. Gold veio direto ao grupo. Seu corpo era bonito, mas a touca a desfavorecia. Era um modelo apenas prático, sem nenhum atrativo.

— Você não vem, Douglas? — perguntou já com um tom de impaciência na voz. — A água está deliciosa.

— Vou já.

Douglas Gold levantou-se rapidamente, mas, antes de ir embora, pousou ainda o olhar em Valentine Chantry, que lhe deu um sorriso encantador.

— *Au revoir* — disse ela.

Gold e a mulher partiram.

Quando eles já estavam suficientemente longe, Pamela disse em voz crítica:

— Não acho que tenha sido uma atitude muito inteligente. Arrancar seu marido da presença de outra mulher sempre é má política. Faz você parecer muito possessiva, e isso é uma coisa que os maridos odeiam.

— A senhorita parece conhecer um bocado sobre maridos, Miss Pamela — disse o general Barnes.

— Maridos alheios, não meus.

— Ah, a diferença é importante.

— Pode ser, general, mas aprendi uma porção de "Não faça isso".

— Para início de conversa — retrucou Sarah —, eu não usaria uma touca como aquela.

— Mrs. Gold me parece uma mulher de bom senso — replicou o general.

— O senhor tem toda razão, general — concordou Sarah. — Mas o senhor deve saber que há um limite para o bom senso de uma mulher. Acho que ela não vai ter tão bom senso assim em matéria de Valentine Chantry.

Virou-se e exclamou em voz baixa e excitada:

— Olhem só a cara do marido. Está furioso. Deve ter um temperamento horrível.

De fato, o comandante Chantry olhava para o casal Gold com um ar ameaçador.

Sarah voltou-se para Poirot:

— E então? O que o senhor me diz de tudo isso?

Hercule Poirot não respondeu, mas novamente seu dedo indicador traçou um desenho na areia. O mesmo desenho... um triângulo.

222 AGATHA CHRISTIE

— O eterno triângulo — comentou Sarah, com ar meditativo.

— É capaz de o senhor ter razão. E se for assim, vamos ter muito com que nos ocupar nos próximos dias.

II

Monsieur Hercule Poirot estava desapontado com Rhodes. Viera à ilha acima de tudo para um descanso, pois lhe tinham dito que, em fins de outubro, Rhodes estaria praticamente deserta.

E isso era verdade. Os únicos hóspedes no hotel eram os Chantry, os Gold, Pamela, Sarah, o general, ele próprio e dois casais italianos. Mas Hercule Poirot queria, sobretudo, um descanso de suas investigações criminais, e seu inteligente cérebro já percebera naquele pequeno grupo sinais evidentes de que isso não lhe seria possível.

— Deve ser porque vivo vendo crimes por toda parte — falou com seus botões. — Devo estar imaginando coisas.

Mas, mesmo assim, não conseguia convencer-se do contrário. Uma manhã, encontrou Mrs. Gold fazendo um bordado no terraço.

Ao aproximar-se, Poirot teve a impressão de perceber um lenço, rapidamente removido de cena.

Os olhos de Mrs. Gold estavam secos, mas com um brilho suspeito. Seu bom humor também lhe pareceu um pouco forçado.

— Bom dia, Monsieur Poirot — disse ela com entusiasmo exagerado.

Poirot sentiu ser impossível que ela estivesse tão alegre ao vê-lo. Pois, afinal de contas, eles mal se conheciam. E, embora o detetive fosse até um pouco convencido no que se referia às suas qualidades profissionais, tinha suficiente modéstia para saber das limitações de seu charme.

— Bom dia, madame — respondeu ele. — Outro belo dia.

— É verdade, não? Mas Douglas e eu sempre temos muita sorte quando estamos de férias.

— É mesmo?

— É. Temos muita sorte juntos. O senhor sabe, Monsieur Poirot, quando vejo tantos casais se divorciando e tanta tristeza junta é que aprecio melhor minha própria felicidade.

— Agrada-me saber disso, madame.

— Douglas e eu somos tão felizes! Estamos casados há cinco anos, o senhor sabe, e, hoje em dia, cinco anos já é bastante tempo...

— Não tenho mesmo dúvidas de que, em certos casos, deve parecer uma eternidade, madame — comentou Poirot.

— Mas tenho certeza de que somos mais felizes agora do que quando nos casamos. O senhor sabe: somos feitos um para o outro.

— Isso representa tudo.

— É por isso que sinto pena dos que não são felizes.

— A senhora quer dizer...

— Estou apenas falando em linhas gerais, Monsieur Poirot.

— Ah, compreendo.

Mrs. Gold pegou um fio de seda, segurou-o contra a luz, examinou-o bem e continuou:

— A Mrs. Chantry, por exemplo...

— Sim? O que tem a Mrs. Chantry?

— Não creio que ela seja uma mulher muito correta.

— Talvez a senhora tenha razão.

— Na verdade, estou certa de que ela não é uma mulher muito correta. Mas, de um certo modo, tenho pena dela. Porque, apesar de todo seu dinheiro e de sua beleza... (os dedos de Mrs. Gold tremiam e ela não conseguia enfiar a agulha)... ela não é o tipo de mulher que consegue ser feliz com um homem. Os homens se cansam depressa de mulheres como ela. O senhor não acha?

— Eu certamente me cansaria de seus assuntos antes que se passasse muito tempo — limitou-se a dizer, com precaução.

— É exatamente o que quero dizer. Ela tem um certo charme, é inegável... — Mrs. Gold interrompeu-se, com os lábios trêmulos, enquanto tentava inutilmente continuar seu trabalho. Até um observador menos arguto que Poirot já teria notado seu desespero. Continuou desconexamente: — Os homens são verdadeiras crianças. Acreditam em tudo...

Ela se inclinou sobre o trabalho. O pequeno lenço pôde ser novamente percebido.

Hercule Poirot achou mais prudente mudar de assunto:

— A senhora não vai nadar hoje? E seu marido, ele está na praia?

Mrs. Gold olhou-o, piscou, adotou de novo sua pose quase desafiadoramente alegre e respondeu:

— Não, não vou nadar hoje. Tínhamos combinado de fazer uma visita às muralhas da cidade velha. Mas não sei o que houve... só sei que me perdi deles. Eles foram embora sem me esperar.

O pronome por si só já era bastante revelador, mas, antes que Poirot pudesse dizer qualquer coisa, o general Barnes apareceu e sentou-se numa cadeira ao lado deles.

— Bom dia, Mrs. Gold. Bom dia, Poirot. Vocês também desertaram hoje? A lista de ausências está grande. Vocês dois e seu marido, Mrs. Gold... e Mrs. Chantry.

— E o comandante Chantry? — perguntou Poirot em tom casual.

— Não, este está na praia. Miss Pamela o tem sob controle — disse o general, rindo. — Mas ela está achando um pouco difícil lidar com ele. É um desses tipos fortes e silenciosos que só encontramos em livros.

Marjorie Gold disse com um pequeno estremecimento:

— Aquele homem me dá um pouco de medo. Parece sempre tão... tão ameaçador. Como se fosse mesmo capaz de cometer um ato violento.

Estremeceu de novo.

— Acho que, no fundo, ele sofre de indigestão — comentou o general, alegremente. — A dispepsia é responsável por muitas reputações de melancolia romântica ou loucura furiosa.

Marjorie Gold deu um sorriso meramente polido.

— E onde está aquele seu bom marido? — perguntou o general.

Sua resposta veio sem hesitação, numa voz aparentemente alegre e natural.

— Douglas? Ah, Mrs. Chantry e ele foram até a cidade. Acho que foram ver as muralhas da cidade velha.

— Ah, sim... muito interessante. Da época dos cavaleiros e tudo mais. A senhora deveria ter ido também.

Mrs. Gold respondeu:

— Acho que me atrasei um pouco.

Ela se levantou de súbito, murmurou uma desculpa e desapareceu no interior do hotel.

O general Barnes olhou-a com uma expressão preocupada, balançando a cabeça pesarosamente.

— Uma brava mulherzinha. Vale muito mais que uma boa bisca cujo nome prefiro não mencionar. Ah! Seu marido é um idiota. Não sabe reconhecer o que tem.

Ele balançou a cabeça novamente e depois também entrou no hotel.

Sarah Blake acabara de chegar da praia e ouviu as últimas palavras do general. Fazendo um gesto com a cabeça na direção do guerreiro que batia em retirada, observou enquanto sentava ao lado de Poirot:

— Brava mulherzinha, brava mulherzinha! Os homens estão sempre elogiando as bravas mulherezinhas mal vestidas, mas quando se trata de escolher entre elas e as vigaristas embonecadas sempre ficam com as últimas. É triste, mas é verdade.

— Mademoiselle! — disse Poirot, abruptamente. — Não estou gostando disso.

— O senhor não está? Eu também. Não, vou ser honesta, acho que de uma certa forma estou gostando. Todos nós temos um lado mau que se diverte com desastres, calamidades públicas e coisas desagradáveis que se passam com nossos amigos.

Poirot perguntou:

— Onde está o comandante Chantry?

— Na praia, sendo dissecado por Pamela e não se mostrando nem um pouco satisfeito com o processo. Estava com um ar de tormenta quando saí. Vamos ter tempestade, acredite-me.

Poirot murmurou:

— Há uma coisa que não compreendo...

— Compreender é fácil — disse Sarah. — Saber o que vai acontecer é que é difícil.

Poirot balançou a cabeça e continuou:

— Como a senhorita diz, é o futuro que me inquieta.

— Que forma elegante de definir a questão — respondeu Sarah, e foi para o hotel.

Ao entrar, quase esbarrou em Douglas Gold. O jovem chegava com um ar muito satisfeito, mas, ao mesmo tempo, um pouco culpado.

— Olá, Monsieur Poirot — e acrescentou, um pouco embaraçado: — Estive mostrando as muralhas dos cruzados a Mrs. Chantry. Marjorie não quis ir.

As sobrancelhas de Poirot ergueram-se ligeiramente, porém, mesmo que ele quisesse fazer algum comentário, não teria tempo, pois Valentine Chantry entrou em seguida, dizendo em voz alta:

— Douglas, um gim com angustura para mim. Preciso de um gim rapidamente.

Douglas Gold foi pedir a bebida, enquanto Valentine sentava-se ao lado de Poirot. Parecia extremamente contente.

Ela viu o marido e Pamela caminhando ao encontro do grupo e fez-lhes um aceno, gritando:

— Deu uma nadada, meu amor? Não está uma manhã maravilhosa? O comandante Chantry não respondeu. Subiu correndo as escadas, passou por ela sem uma palavra ou olhar e desapareceu a caminho do bar.

Seus punhos estavam crispados e, mais do que nunca, seu aspecto lembrava um gorila.

A bela boca de Valentine Chantry ficou aberta, dizendo "Ah", com uma expressão apalermada.

Já o rosto de Pamela mostrava que se divertia imensamente.

Disfarçando ao máximo seus sentimentos, sentou-se perto de Valentine Chantry e perguntou:

— Que tal o passeio?

Quando Valentine começou a responder "Maravilhoso. Nós...", Poirot levantou-se e também se dirigiu ao bar. Encontrou o jovem Gold esperando pela bebida, com o rosto vermelho. Parecia nervoso e irritado.

— Aquele homem é um grosseirão — falou para Poirot, enquanto fazia um gesto de cabeça na direção do comandante Chantry, que se afastava.

— É possível — respondeu Poirot. — Sim, é bem possível. Mas não se esqueça de que *les femmes* gostam dos homens brutos.

Douglas murmurou:

— Não me surpreenderia de saber que ele a maltrata!

— Ela provavelmente gosta disso.

Douglas Gold dirigiu-lhe um olhar espantado, pegou o gim e foi-se embora.

Hercule Poirot sentou-se num tamborete e pediu um sirop de cassis. Enquanto o saboreava, Chantry surgiu de súbito e tomou diversos gins em rápida sucessão.

Em seguida, disse em voz alta e violenta, falando mais para o mundo do que propriamente com Poirot:

— Se Valentine pensa que pode se livrar de mim como se livrou daqueles outros idiotas, está muito enganada. Ela é minha e continuará a ser minha. Nin-

228   AGATHA CHRISTIE

guém vai tomá-la de mim sem passar primeiro sobre meu cadáver.

E, jogando o dinheiro sobre o balcão, virou-se e desapareceu.

III

Três dias mais tarde, Hercule Poirot foi à Montanha do Profeta. A viagem de carro era agradável, por estradas cercadas de abetos, elevando-se por curvas sinuosas, muito acima das misérias e intrigas humanas que ficavam lá embaixo. O carro parou fora do restaurante no alto da montanha; Poirot, descendo, caminhou em direção às árvores. Finalmente, chegou a um lugar que parecia mesmo o topo do mundo. Bem abaixo, profundamente azul, podia-se ver o mar.

Poirot dobrou seu sobretudo, colocou-o cuidadosamente sobre um toco de árvore e sentou-se. Finalmente podia estar em paz, longe de todos os problemas.

— Não há dúvida que *le bon Dieu* deve saber o que faz, mas é estranho que ele tenha resolvido criar certos seres humanos. *Eh bien,* pelo menos aqui estarei por algum tempo salvo dessas complicações.

Mas, súbito, teve um sobressalto. Uma pequena mulher num casaco marrom apressava-se em sua direção. Era Marjorie Gold e ela já punha todo seu orgulho de lado. Seu rosto estava molhado de lágrimas.

Poirot não tinha como escapar. Ela já estava perto.

— Monsieur Poirot, o senhor precisa me ajudar. Sou tão infeliz, não sei o que fazer. O que será de mim? O que será de mim?

Ela o olhava com expressão angustiada, segurando-o pela manga do casaco. Mas alguma coisa na expressão de Poirot a amedrontou, e ela recuou um pouco.

— Há alguma coisa errada? — perguntou.

— A senhora quer meu conselho, madame? É isso o que a senhora quer?

Ela gaguejou:

— Sim... sim...

— *Eh bien...* aqui está meu conselho — disse Poirot, acrescentando de modo incisivo: — Saia deste lugar imediatamente... *antes que seja tarde demais.*

— O quê? — perguntou ela, arregalando os olhos.

— A senhora me ouviu. Vá embora desta ilha.

— Embora desta ilha?

— Foi o que eu disse.

— Mas por quê? Por quê?

— É o conselho que posso lhe dar... *se a senhora tem amor à vida.*

Ela deixou escapar um pequeno grito.

— O que o senhor quer dizer com isso? O senhor está me amedrontando... o senhor está me amedrontando.

— Sim — respondeu Poirot em tom grave. — É exatamente essa minha intenção.

Ela se deixou cair sentada, com o rosto escondido entre as mãos.

— Mas não posso! Ele não viria comigo! Ele, Douglas, não viria comigo, ela não deixaria. Ela o domina completamente... corpo e alma. Ele não dá ouvidos a qualquer coisa que digo contra ela... está completamente apaixonado. Acredita em tudo o que ela lhe diz. Que seu marido a maltrata, que ela é uma pobre inocente, que ninguém nunca soube compreendê-la. Ele já nem pensa em mim... eu já não conto mais, é como se não existisse. Ele quer que eu lhe conceda o divórcio. Ele acredita que ela também se divorciará e se casará com ele. Mas acho que Chantry não vai desistir dela. Ele não é desse tipo. Ontem à noite, ela mostrou a Douglas manchas no braço e disse que foram feitas por Chantry. Douglas ficou furioso. Ele é tão cavalheiresco... Oh, tenho *medo*. O que vai acontecer? Diga-me o que fazer!

230   Agatha Christie

Hercule Poirot continuou olhando, através do mar, a costa asiática que se desenhava à distância. Finalmente falou:

— Eu já lhe disse. Saia desta ilha *antes que seja tarde demais...*

Ela sacudiu a cabeça.

— Não posso, não posso... a menos que Douglas...

Poirot suspirou e deu de ombros.

IV

Hercule Poirot sentou-se na praia ao lado de Pamela Lyall.

Ela falou com um prazer pouco disfarçado:

— O triângulo está cada vez mais complicado. Ontem à noite, eles se sentaram um de cada lado dela... e o senhor precisava ver os olhares que um dirigia ao outro. Chantry estava bastante bêbado e ofendeu Gold diversas vezes, mas Gold se comportou muito bem. Não perdeu a calma. Valentine adorou a cena, claro. Ronronava como o gato que sente o camundongo nas garras. O que o senhor acha que vai acontecer?

— Estou com receio... estou com receio...

— Todos nós estamos — disse Miss Lyall fingidamente, completando:

— Este assunto é *sua* especialidade. Ou é bem capaz de acabar sendo. Será que o senhor não poderia fazer alguma coisa?

— Já fiz tudo que pude.

Miss Lyall inclinou-se ansiosa.

— O que o senhor *fez*? Sua voz era alvoroçada.

— Aconselhei Mrs. Gold a sair desta ilha antes que seja tarde demais.

— Oh... então o senhor acha... — ela se interrompeu.

— Acho o quê, Mademoiselle?

Assassinato no beco · 231

— O senhor acha que é *isso* o que vai acontecer? — disse Pamela lentamente. — Mas ele não faria isso, ele nunca faria uma coisa dessas. Ele é uma boa pessoa, na verdade. Aquela Chantry é que é uma bisca. Ele não faria isso, ele não faria isso.

Ela se interrompeu de novo, depois continuou em voz baixa:

— *Assassinato*? É esta a palavra em que o senhor está pensando?

— Esta é a palavra em que alguém está pensando, Mademoiselle. Posso garantir isso.

Pamela estremeceu.

— Não posso acreditar nisso — declarou.

V

Na noite de 29 de outubro, os acontecimentos desenrolaram-se em ordem perfeitamente delineada.

Primeiro houve uma discussão entre os dois homens — Gold e Chantry. A voz de Chantry elevou-se cada vez mais e mais alta; suas últimas palavras foram ouvidas por quatro pessoas: o caixa no balcão, o gerente, o general Barnes e Pamela Lyall.

— Seu porco maldito! Se você e minha mulher pensam que vão se livrar de mim estão muito enganados. *Enquanto eu estiver vivo*, Valentine será minha esposa.

E saiu do hotel com o rosto contorcido de raiva.

A discussão foi antes do jantar. Depois, houve uma surpreendente reconciliação, não se sabe arranjada por quem. Valentine convidou Marjorie para um passeio de carro. Pamela e Sarah também foram. Gold e Chantry jogaram bilhar e, depois, foram fazer companhia a Poirot e ao general Barnes no saguão.

— Foi bom o jogo? — perguntou o general. O comandante respondeu:

232 AGATHA CHRISTIE

— Este camarada é bom demais para mim. Fez 46 carambolas logo de saída.

Douglas Gold respondeu modestamente:

— Pura sorte, posso garantir-lhe. Vocês não querem beber alguma coisa? Vou chamar o garçom.

— Gim com angustura para mim, por favor.

— E o senhor, general?

— Um uísque com soda, obrigado.

— E o senhor, Monsieur Poirot?

— Muita gentileza sua. Gostaria de um *sirop de cassis*.

— Um *sirop*... como é mesmo o nome?

— *Sirop de cassis*. Xarope de cássia.

— Ah, um licor. Será que eles têm aqui? Nunca ouvi falar.

— Têm sim. Mas não é um licor.

— Parece-me um gosto estranho... mas cada um toma o veneno que quer. Vou pedir as bebidas.

O comandante Chantry sentou-se. Embora não fosse por natureza um homem comunicativo, estava se esforçando visivelmente para ser amável.

— É curioso como a gente se acostuma a viver sem jornais — comentou.

O general bufou.

— Ninguém pode dizer que o *Continental Daily Mail* de quatro dias atrás seja uma grande fonte de informações. Recebo o *Times* e o *Punch* aqui no hotel, mas eles também custam muito a chegar.

— Será que vão convocar eleições gerais por causa da questão palestina?

— O assunto tem sido muito malconduzido — declarou o general, ao mesmo tempo em que Douglas Gold reaparecia seguido por um garçom e as bebidas.

O general começou a contar uma passagem de sua carreira militar na Índia, em 1905. Os dois ingleses ouviram polidamente, mas sem grande interesse. Hercule Poirot sorvia com delícia seu *sirop de cassis*.

O general chegou ao fim de sua história e houve risos bem-educados ao redor.

Então as mulheres reapareceram no saguão. Todas as quatro falavam e riam, parecendo muito bem-dispostas.

— Tony, meu amor, foi um passeio adorável — disse Valentine, sentando-se numa cadeira a seu lado. — Uma ideia adorável de Mrs. Gold. Vocês todos deveriam ter vindo.

O marido perguntou:

— Quem quer uma bebida? — olhando interrogativamente ao redor.

— Gim com angustura para mim, querido — disse Valentine.

— Gim e gengibirra — disse Pamela.

— *Sidecar* — disse Sarah.

— Ótimo — disse Chantry, levantando-se. E ofereceu sua própria bebida, até então intocada, à esposa:

— Fique com este. Vou pedir outro para mim. O que a senhora quer tomar, Mrs. Gold?

Mrs. Gold estava tirando o capote, com a ajuda do marido. Ela se virou, sorrindo:

— Uma laranjada, por favor.

— Perfeitamente. Uma laranjada.

O comandante Chantry foi em busca das bebidas. Mrs. Gold sorria para seu marido.

— Foi um passeio maravilhoso, Douglas. Gostaria de que você tivesse vindo.

— Gostaria de ter ido também. Fica para uma outra oportunidade.

Os dois sorriram um para o outro.

Valentine Chantry pegou seu gim e o tomou de um gole.

— Ah, eu bem que estava precisando — murmurou.

Douglas Gold tomou do casaco de Marjorie e o colocou num sofá. Ao encaminhar-se de volta ao grupo, exclamou assustado:

— Ei, o que é isso?

Valentine Chantry oscilava em sua cadeira. Seus lábios estavam roxos e sua mão apertava o coração.

— Eu me sinto... me sinto estranha. Ela arquejava em busca de ar.

Chantry voltou à sala e apressou-se ao ver a mulher.

— Ei, Val, o que você tem?

— Não sei... Aquele gim tinha um gosto estranho...

— O gim com angustura?

Chantry virou-se para Douglas Gold, segurando-o pelo ombro.

— Aquele gim era para mim, Gold, que diabo você pôs nele? Douglas Gold estava branco feito cera e olhava apalermado o rosto contorcido de Valentine Chantry.

— Eu... eu... nunca...

Valentine Chantry escorregou da cadeira.

O general Barnes gritou:

— Chamem um médico, depressa!

Cinco minutos depois, Valentine Chantry estava morta.

VI

No dia seguinte, ninguém foi à praia.

Pamela Lyall, muito pálida, usando um vestido preto simples, encontrou Hercule Poirot no hall e o levou a uma pequena saleta vazia.

— É horrível — disse. — Horrível! O senhor previu tudo! Assassinato!

Poirot inclinou a cabeça gravemente. Pamela estava nervosa e batia o pé no chão.

— O senhor deveria ter impedido aquilo. O senhor deveria ter dado algum jeito, feito alguma coisa.

— O quê? — perguntou Poirot.

— O senhor não poderia ter chamado a polícia?

ASSASSINATO NO BECO   235

— E dizer o quê? O que a gente pode dizer, *antes do crime?* Que alguém está pensando em um crime? Vou dizer uma coisa, *mon enfant*, se uma pessoa está decidida a matar outra...

— O senhor poderia ter prevenido a vítima — insistiu Pamela.

— Algumas vezes os avisos são inúteis.

— O senhor poderia ter prevenido o assassino... mostrar-lhe que o senhor conhecia suas intenções.

Poirot assentiu, com satisfação.

— Mais sensato, sem dúvida. Mas, mesmo assim, é preciso levar em conta o principal defeito de um criminoso.

— Que defeito é este?

— A presunção. Um criminoso nunca acredita que seu plano possa falhar.

— Mas é um absurdo. É uma tolice — gritou Pamela.

— O crime não poderia ter sido mais infantil. A polícia prendeu Douglas Gold imediatamente!

Poirot parecia pensativo:

— Sim. Douglas Gold é um rapaz muito ingênuo.

— Eu diria muito burro. Soube que eles encontraram o resto do veneno... o que era mesmo?

— Um tipo de estrofantina. Um veneno para o coração.

— Soube que encontraram o resto no paletó de seu terno.

— É verdade.

— É muita burrice mesmo — insistiu Pamela. — Talvez ele pretendesse jogá-lo fora, mas tenha ficado, talvez, paralisado pelo choque de ver que a pessoa errada tomara o veneno. Que cena maravilhosa seria num palco de teatro! O amante colocando estrofantina no copo do marido, e a mulher tomando-o por engano, enquanto ele não prestava atenção. Pense no horror de Douglas Gold ao se virar e compreender que assinara a sentença de morte da mulher que amava...

Pamela estremeceu.

— O seu triângulo. *O eterno triângulo.* Quem diria que ia acabar dessa maneira?

— Tinha medo disso — murmurou Poirot.

— O senhor a preveniu... a Mrs. Gold. Mas por que o senhor não o preveniu também?

— A senhora quer saber por que eu não preveni Douglas Gold?

— Não. Quero saber por que o senhor não preveniu o comandante Chantry. O senhor poderia tê-lo avisado de que ele corria perigo... afinal, ele era o principal obstáculo. Não tenho dúvidas de que Douglas Gold esperava atormentar sua mulher a tal ponto que ela acabaria concordando com o divórcio. Ela é muito dócil e acabaria se convencendo. Mas Chantry é teimoso como uma mula. Ele estava decidido a não concordar com o divórcio.

Poirot deu de ombros.

— Não teria adiantado nada falar com Chantry.

— Talvez não — concordou Pamela. — É provável que ele respondesse que sabia cuidar de si mesmo e o mandasse para o inferno. Mas, mesmo assim, acho que o senhor poderia ter tentado fazer alguma coisa.

Poirot pensou um pouco e depois disse, medindo bem as palavras:

— Cheguei a pensar em tentar convencer Valentine Chantry a deixar a ilha, mas ela não acreditaria no que eu tinha a lhe dizer. Ela não era suficientemente inteligente para compreender a situação. *Pauvre femme,* sua estupidez a matou.

— Acho que não iria adiantar nada ela *sair* daqui — disse Pamela —, pois ele simplesmente a teria seguido.

— Ele quem?

— Douglas Gold.

— A senhorita acha que Douglas Gold a teria seguido? Não, a senhorita está enganada, completamente enganada. Mademoiselle não compreendeu ainda o que realmente se passou. Se Valentine tivesse deixado a ilha, o marido teria ido com ela.

Pamela tinha uma expressão intrigada no rosto.

— Naturalmente.

— E então, a senhorita vê, o crime simplesmente teria ocorrido em outro lugar.

— Não compreendo.

— Estou lhe dizendo que o mesmo crime teria ocorrido em outro lugar. *Estou falando do assassinato de Valentine Chantry pelo marido.*

Pamela arregalou os olhos.

— O senhor está querendo dizer que foi o comandante Chantry... Tony Chantry... quem matou Valentine?

— Claro. A senhorita o viu cometer o crime. Douglas Gold trouxe a bebida e sentou-se diante do copo. Quando vocês mulheres chegaram, todos nós olhamos em sua direção, e Chantry aproveitou-se para despejar o veneno no gim, que, depois, galantemente ofereceu à esposa.

— Mas o vidrinho de estrofantina foi encontrado no bolso de Douglas.

— Uma coisa muito fácil de fazer enquanto estávamos todos aflitos ao redor da mulher moribunda.

Pamela levou bem uns dois minutos para recuperar a fala.

— Mas não compreendo coisa alguma. O triângulo... o senhor mesmo disse.

Poirot sacudiu a cabeça com firmeza.

— Sim, eu disse que havia um triângulo, mas a senhorita imaginou o *triângulo errado*. A senhorita se deixou enganar por uma bela encenação. A senhorita acreditou, como eles queriam, que tanto Tony Chantry quanto Douglas Gold estavam apaixonados por Valentine Chantry. A senhorita acreditou, como eles queriam, que, apaixonado por Valentine, cujo marido se recusava a lhe conceder o divórcio, Douglas Gold se desesperou a ponto de envenenar o rival... com a diferença de que, por um acidente, quem morreu foi a vítima errada. Mas é tudo ilusão. Chantry já estava decidido a matar sua mulher há algum tempo. Pude ver logo de saída que ele

238   AGATHA CHRISTIE

estava "cheio" dela, com quem de qualquer forma só se casou por causa do dinheiro. Agora ele queria casar com outra mulher... e, assim, precisava arranjar um jeito de se livrar dela, mas conservar o dinheiro. O único caminho era o assassinato.

— Ele queria se casar com outra *mulher*?

— Claro, claro, com a aparentemente inofensiva *Marjorie Gold*. Eis aí o eterno triângulo a que eu me referi, mas a senhorita me compreendeu mal. Nenhum dos dois homens estava apaixonado por Valentine Chantry. Foi apenas a vaidade dela e *a encenação muito hábil de Marjorie Gold* que levou a senhorita e os outros a pensarem assim. Uma mulher muito inteligente, esta Mrs. Gold, e bastante atraente com seu jeitinho recatado de pobre-coisinha-abandonada! Conheci quatro assassinas do mesmo tipo. Primeiro, uma Mrs. Adams, absolvida da acusação de assassinato do marido, embora todos soubessem que ela o matara. Mary Parker matou uma tia, um namorado e dois irmãos antes de se tornar um pouco descuidada e ser, finalmente, apanhada. Depois conheci uma Mrs. Rowden, que acabou na forca. Mrs. Lecray escapou por um triz. Assim que vi Mrs. Gold tive certeza de que ela era do mesmo tipo. Essas mulheres gostam de matar, como pato gosta de nadar. E foi um assassinato muito bem planejado. Diga-me, que *provas* a senhorita tem de que Douglas Gold estava apaixonado por Valentine Chantry? É só pensar um pouco para compreender que havia apenas as confidências de Mrs. Gold e as demonstrações de ciúmes de Chantry. Compreende agora?

— É... é horrível — disse Pamela.

— Eles são um casal esperto — disse Poirot, com apreciação profissional. — Planejaram "encontrar-se" aqui e encenar o crime. Esta Marjorie Gold tem um sangue-frio dos diabos. Seria capaz de ver o marido enforcado sem o menor remorso.

Pamela interrompeu:

— Mas a polícia o prendeu ontem à noite...

— Prendeu — concordou Hercule Poirot — mas, depois, eu tive uma conversa com eles... É verdade que não vi Chantry pôr a estrofantina no copo, porque, como todo o mundo, olhei na direção de vocês quando chegaram. Mas, no momento em que compreendi que Valentine Chantry fora envenenada, observei o marido sem tirar os olhos dele. E, assim, pude ver quando ele colocou o vidrinho de estrofantina no bolso do paletó de Douglas Gold...

Poirot acrescentou com uma expressão severa no rosto:

— Sou uma boa testemunha. Meu nome é bastante conhecido. Assim que ouviu minha história, a polícia compreendeu que o caso mudava completamente de figura.

— E então? — perguntou Pamela, fascinada.

— *Eh bien*, eles fizeram algumas perguntas ao comandante Chantry. Ele tentou se fingir de indignado, mas não é tão inteligente quanto pensa e acabou confessando tudo.

— Então a polícia já soltou Douglas Gold?

— Já.

— E... e Marjorie Gold?

— Eu a preveni — disse. — Sim, eu a preveni. No alto da Montanha do Profeta eu a preveni... Era a única possibilidade de evitar o crime. Disse claramente que suspeitava dela. Ela me compreendeu, tenho certeza. Mas se julgava muito inteligente... Pedi que deixasse a ilha *se* tinha amor à própria vida. Ela decidiu ficar...